JR旅客営業制度の Q&A

第3版

Obuse Yoshitake
小布施 由武

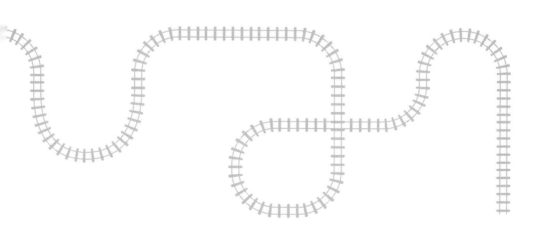

自由国民社

東海道本線を上る人気の寝台電車「サンライズ出雲　瀬戸」

刊行にあたり

　明治5年（1872年）に新橋・横浜間に鉄道が開業し150年が経過しました。この間、鉄道は日本の近代化を牽引し、経済成長を支えてきました。

　国鉄からJRに生まれ変わり間もなく40年になろうとしていますが、鉄道は今、新たな局面を迎えています。

　世界中を襲ったコロナ禍で世の中が大きく変わりました。一時は人の流れが途絶え鉄道の利用者も激減しました。急速に日常は取り戻しつつあるもののコロナ前のようには戻らないと言われています。

　日本における高齢化は益々進み、地方の過疎化や人口減少も急速に進む中で、JR各社の地方路線や地方鉄道の維持・存続が危ぶまれる状況になっています。

　一方で、令和4年（2022年）9月に西九州新幹線武雄温泉・長崎間の開業、令和6年（2024年）3月北陸新幹線の敦賀延伸、さらには、北海道新幹線の札幌延伸など新幹線ネットワークの整備が進められています。

　また、鉄道の利用場面では、この何年かで、ネット予約の浸透、ICカードの機能拡張によるチケットレス化の進展、タッチ決済の導入などシステムチェンジが急速に進展して、従来とは大きく様相を変えてきました。

　これまで本書で解説してきた「きっぷ」をベースとした旅客営業制度とは全く別の世界のように見えるものもありますが、その辺の兼ね合いも含めた解説を今回の改訂版では試みてみました。

〇本書の生い立ち

　本書は、昭和57年（1982年）から翌年にかけて、当時の国鉄旅客局や鉄道管理局の若手担当者が旅客制度の勉強会で、疑問点やお客さまから寄せられた質問などについて議論したものをまとめた『国鉄旅客制

度のＱ＆Ａ 309』（佐々木健著。昭和 59 年（1984 年）中央書院発刊）が原点です。それは、旅客規則の逐条解説というよりは、主として旅客営業に関わる担当者が、規則・規程類を運用する際の一助となることを意図したもので、ある程度旅客規程類をかじったことがある人を念頭に置いたものでした。

　昭和 62 年（1987 年）４月の国鉄分割・民営化に当たりＪＲ各社は、旅客営業に関する種々の取扱い（運賃・料金・効力）については基本的に変更することなく承継・移行しましたが、それでも法体系や手続き等の変更が行われたことから、それらを踏まえて平成２年（1990 年）に最初のＪＲ版『ＪＲ旅客営業制度のＱ＆Ａ 311』が発刊されました。

　実務担当者や鉄道の営業制度に関心のある方にはわかりやすい解説書として好評を得て版を重ね、平成９年（1997 年）には山形・秋田・北陸（長野）新幹線開業、北海道・四国・九州３社の運賃改定、消費税率改定等を踏まえて『旅客営業制度のＱ＆Ａ 336』が、また、平成 15 年（2003 年）には東北新幹線八戸開業、周遊きっぷの設定等を踏まえて『Ｑ＆Ａ ＪＲ旅客営業制度〔第３版〕』が発刊されました。

　佐々木氏が第一線を引かれてからは改訂版の予定は無かったのですが、東海道新幹線品川駅開業、九州新幹線新八代・鹿児島中央間の開業、首都圏におけるＩＣカードの相互利用開始等に関わる改正が行われたことやＪＲ発足 20 年目の節目ということから、中央書院からの依頼を受け、佐々木氏に部下としてお仕えし、既刊のお手伝いをしてきた経緯もあって『ＪＲ旅客営業制度のＱ＆Ａ』（拙著）を平成 19 年（2007 年）に発刊しました。結果として中央書院からの発刊はこれが最後になりました。

　その後、再刊のご要望もあって、自由国民社の宮下編集長からお勧めいただき、東北新幹線新青森開業、九州新幹線全線開業、北陸新幹線金沢開業、消費税率改定等の改正を踏まえた改定版を平成 27 年（2015 年）３月に発刊しました。

そしてこの度、平成29年（2017年）5月の第2版から7年振りとなりますが、北陸新幹線の敦賀延伸開業やこの間の運賃・営業制度改正を踏まえて改訂版を発刊することになりました。

○旅客営業制度の理解のために
　現在のＪＲ旅客営業規則の条数は300を超えます。さらに基準規程の条数は400を超え、この他に単行規則・規程が加わるわけですから、旅客営業に関する規則・規程全体では非常に多くの規定が存在します。
　その背景には鉄道が発展する過程で必要に迫られ、様々な規定が制定されてきた経緯があります。全国に張り巡らされた鉄道網を不特定多数の利用者が任意に利用するのですから、その利用場面において様々な事象が発生し鉄道係員はその対応を迫られます。その際の対応方を予め類型化・定型化して決めておくことは、係員間の統一や利用者に対する公平性の確保という点で有効であるとの考えから、想定されること（有りそうなこと、起きそうなこと）を遍く定めることになり、その結果膨大な規定の数になってしまいました。
　この膨大な数の規定を読み解き営業制度を理解するためのポイントが2つあります。その1は規則の体系・構成を理解することです。旅客営業制度の基本である旅客営業規則は、発駅から着駅までを順路に従って乗車することを前提に、鉄道利用の流れ（発売→運賃・料金→効力→様式→改札及び引渡し）に沿って、事業者と利用者の権利・義務関係を表した証票である「乗車券類」を軸に構成されています。さらに、原契約の変更が生じた場合（乗車変更や払いもどし）等の取扱いや運行不能等により契約どおりの履行ができない場合の取扱い等が規定されています。まずこの構成を理解してください。旅客営業規則・規程に加えて単行規則・規程が有りますが、こちらは一般的な取扱いに加えてさらに個別の取扱いを要する事項について定めているものでその対象は特定されます。
　その2は基本原則を理解することです。前述のとおり現実の利用場面

では基本原則だけでは対応しきれないことがどうしても生じます。それに対処するために特例（例外規定）が設けられますので、規定の数は増えますし、基本原則と特例の狭間に一見矛盾と思われる事象が生じるということがあります。加えて、各ＪＲ会社間をまたがって乗車する場合の運賃・料金の計算方や乗車券類の発売、変更、払いもどし等の共通取扱いが旅客会社間で協定され、各社の営業規則には適用範囲に「当社線及び当社線と他の旅客鉄道会社線に係る旅客の運送等については、別に定める場合を除いて、この規則を適用する。」と明記されていますが、一方で、他の交通機関との競争や経営環境に応じて各社が独自の営業戦略を展開するなかで、営業制度や料金体系についても６社共通ルールと各社が独自に制定・改廃したルールとが混在する状況も生じています。これらの要因が複合的に絡まって、旅客営業制度は非常に難解なものと受け取られるのではないかと思います。確かに非常に多くの規定があり、該当条文を探すのも大変だと思われるかもしれませんが、基本原則が理解できていれば、特例は（社別ルールや企画商品に関する取扱いも特例と同様）基本原則から派生したもので、一定の要件を備えた場合のみ適用されるものですから、解釈に困った時にも基本原則に立ち返って考えれば正しい判断に行きつくと思います。

　本書は旅客営業規則の構成に沿って、基本原則の理解に資することを意識してＱ＆Ａにまとめました。旅客営業制度をご理解いただくための一助となれば幸いです。

２０２４年７月

著　者

〔凡例〕

【注】この本では、規程類の標題を略して使用しています。その主なものは、次のとおりです。

「旅規」　　　　　｝………ＪＲ各社旅客営業規則
「旅客規則」

「旅基」　　　　　｝………旅客営業取扱基準規程
「旅客基程」

「連絡規則」…………ＪＲ各社旅客連絡運輸規則

「連絡基程」…………旅客連絡運輸取扱基準規程

「団体基程」…………団体旅客等取扱基準規程

「委託規則」…………ＪＲ各社乗車券類委託販売規則

「学校規則」…………ＪＲ各社学校及び救護施設指定取扱規則

「戦傷病者規則」……ＪＲ各社戦傷病者乗車券引換規則

「身障者規則」………ＪＲ各社身体障害者旅客運賃割引規則

一 目　次 一

刊行にあたり ……………………………………… 3

序　章 …………………………………………… 11

第 1 章　総則関係 ……………………………… 13

第 2 章　乗車券類の発売、旅客運賃・料金関係 …… 33
　〔1〕一般 ……………………………………… 33
　〔2〕地方交通線 ……………………………… 55
　〔3〕普通乗車券関係 ………………………… 63
　〔4〕定期乗車券関係 ………………………… 87
　　　1　一般 ………………………………… 87
　　　2　通勤定期乗車券 …………………… 91
　　　3　通学定期乗車券 …………………… 92
　　　4　その他 ……………………………… 96
　〔5〕普通回数乗車券 ………………………… 101
　〔6〕団体乗車券 ……………………………… 105
　〔7〕料金券 …………………………………… 110
　　　1　特急・急行券 ……………………… 110
　　　2　グリーン券 ………………………… 132
　　　3　指定席券、個室 …………………… 143

第 3 章　乗車券類の効力 ……………………… 157
　〔1〕一般 ……………………………………… 157
　〔2〕有効期間 ………………………………… 163

〔３〕途中下車 ················· 165
〔４〕乗車券の効力 ············· 171
〔５〕料金券の効力 ············· 177

第 4 章　様式・発行方 ················· 179

第 5 章　乗車券類の改札及び引渡し ·········· 181

第 6 章　乗車変更 ················ 183

第 7 章　払いもどし ················ 203

第 8 章　その他の特殊取扱い（不正・紛失等） ···· 219

第 9 章　事故 ················· 225

第 10 章　入場券、手回り品等 ············· 239

第 11 章　単行規程 ················· 245
〔１〕企画乗車券関係 ············· 245
〔２〕身障者割引 ··············· 254
〔３〕後払い ················· 259
〔４〕ＩＣ乗車券 ··············· 261

あとがき ················· 269

瀬戸内沿いを走るJR四国の特急「いしづち」「しおかぜ」

序　章

　営業規則がいつ頃現在のような形態に整備されたものか調べてみると、大正10年（1921年）に制定・施行された「国有鉄道旅客及荷物運送規則」がその原型のようです。

　国有鉄道は、明治5年（1872年）に新橋・横浜間が開設され鉄道運送営業が開始されましたが、鉄道創設に当たって政府は全条文25条から成る「鉄道略則」を同年2月太政官布告第61号をもって定め鉄道運送に関わる私法関係を規律していました。この鉄道略則は太政官布告として公布された法令ではありましたが、その内容は運送条件即ち運送約款的な色彩が多分にありました。なお、鉄道略則に定められた義務の違反を取り締まるため別に「鉄道犯罪罰例」が同年5月にこちらも太政官布告第147号をもって制定されました。

　その後、明治33年（1900年）に至って、鉄道運送の安全の確保と社会公衆の鉄道利用の公平を図るため、また、鉄道運送の特質に対応させるため、民法・商法に対する特別法としての「鉄道営業法」（法律第65号）が制定公布されたことから「鉄道略則」と「鉄道犯罪罰例」は廃止されました。

　鉄道営業法と同法の委任命令である「鉄道運輸規程」の制定は、運送人と旅客の権利義務の関係を当時としては近代的に法制化したものでした。

　鉄道網が未だ発達しておらず、鉄道による運送形態が極めて単純であった時代には、鉄道運送営業に関する規定は鉄道営業法・鉄道運輸規程のような大綱を定めた規定だけで十分かつ円滑にその取扱いが遂行されていましたが、利用者の増加に伴って個々の取扱規程が新設されるようになりました。特に明治39年（1906年）の鉄道国有化法制定以来、急激な鉄道網の拡大と輸送量の増加とによって、運送形態は複雑多岐な

ものとなり、鉄道運送営業についても鉄道営業法のような大綱的規定だけでは円滑な取扱いが困難になったため、鉄道営業法の定める範囲内において必要な運送条件を定めてこれを公示し、一方部内に対しては取扱い上の統一を図るため都度いろいろな取扱規程等を定めて対処するという状況になっていきました。旅客運送営業に関する規程や手続は都度単行で定められその数80を超える状態になっていたようです。雑然とした多くの規程等によってその取扱いをする不便さや困難さは容易に想像することができると思います。

　さすがに、このような状態を放置することは出来ず、旅客運送営業に関する規程を体系的に整備し一括規定する機運が急速に進展し、約3年余の期間を費やして「国有鉄道旅客及荷物運送規則」が制定され大正10年（1921年）1月1日から施行するに至りました。

　その後、時代背景や社会情勢の変化によって幾度かの改正が行われましたが、昭和34年（1959年）に「旅客及び荷物営業規則・同細則」が制定され、昭和42年（1967年）には旅客と荷物が分離されて現在の「旅客営業規則・同取扱基準規程」の原型となっており、基本的なフレーム（構成）は現在のJR各社の旅客営業規則においても変わっていません。

第1章
総則関係

Q1 「運送約款」とは？

A 旅客の場所的移動を、事業として反復・継続して行うことを旅客運送事業といい、これを鉄道により行うものが鉄道事業です。

運送に関わる事業者と利用者の契約関係（これを「運送契約」といいます。）は、利用者が利用の意思表示をして事業者がこれを許諾したときに成立しますが、この場合の運送条件は事業者が予め一方的に定め、利用者はこの条件によってのみ運送契約が成立したものとされる附合契約の一種で、事業者が予め定めた運送条件を「運送約款」といいます。JR各社の運送約款の基本となるのが「旅客営業規則」で、旅客の運送等に関する取扱方を定めています。鉄道における運送契約は、利用者が運賃を支払い、乗車券の交付を受けた時に成立し、着駅の改札で乗車券が回収された時に終了します。また、契約成立後の取扱いは、別段の定めをしない限り、すべて契約の成立時の規定によるものとしています。　　　　　　　　　　　　〔旅客規則第5条〕

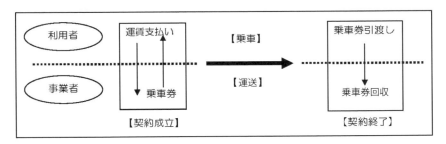

（注）約款とは、運送事業や保険事業など、不特定の利用者を相手とする事業において、一定の条件のもとで迅速・安全に数多くの契約が成立し得

るように、定型的な契約条件を契約当事者の一方（運送事業においては運送事業者）が予め定めて公告したものをいいます。

Q2　「運送約款」と「鉄道営業法」、「鉄道運輸規程」、「鉄道事業法」、「JR各社旅客営業規則」、「旅客営業取扱基準規程」、「JR各社身体障害者旅客運賃割引規則」との関係は？

A　「鉄道営業法」は、鉄道営業の基本となる法律で、民法、商法に対する特別法とされています。旅客と鉄道事業者との契約関係、鉄道係員の職務、鉄道係員および旅客の禁止行為、罰則等が規定されています。

「鉄道運輸規程」は、鉄道営業法の委任による省令で、鉄道運送に関して鉄道事業者と旅客との関係を規律する運送条件、鉄道事業者が旅客の便益を増進するために遵守すべき事項、旅客が鉄道運送の秩序維持のために遵守すべき事項等が定められています。

「鉄道事業法」は、鉄道事業に関わる規制法（いわゆる「業法」）で、事業の許認可、運賃料金の上限認可制、運行計画の届出等事業監督に関して規定する法律です。

　航空や自動車などでは運送約款が法律による認可制（標準約款を使用する場合は認可と見做される）となっていますが、鉄道の運送約款自体には認可などの規制はありません。これは、鉄道営業法、鉄道運輸規程に運送に関する基本的事項が規定されていることや元々が国鉄（JR）の旅客営業規則が実質的な標準約款であったことによります。

　旅客営業の基本事項を規定したものが「旅客営業規則」ですが、「身体障害者旅客運賃割引規則」など「○○規則」という名称のものは特定の取扱いについてその条件を定めた特別約款です。また、「旅客営業取扱基準規程」など「○○規程」という名称のものは規則（約款）に対応する部内命令です。

〔参考〕　法令と旅客規則等の関係図

鉄道営業法	＝法律（民法・商法の特別法）	鉄道事業法	＝法律（鉄道事業の規制法）
↓		↓	
鉄道運輸規程	＝省令	鉄道事業法施行規則	＝省令

（基本約款）
旅客営業規則 ＝各社公告　　→　（規則に対応する部内命令）
　　　　　　　　　　　　　　　旅客営業取扱基準規程（達）
　　　　　　　　　　　　　　　営業部長等の通達

（旅客営業規則の特別約款）
身体障害者旅客運賃割引規則 ＝各社公告　→　身体障害者旅客運賃割引取扱基準規程

Q3　鉄道営業法では運送条件の公告を義務づけているがＪＲでは、どのように公告しているのか？

A　ＪＲでは、運送約款である旅客営業規則について、各社のホームページ（ウェブサイト）でご案内しているほか、ＪＲ東日本では旅客営業規則の改正を行う場合は、その改正内容をホームページ（ウェブサイト）で公表しています。駅等での閲覧の請求があった場合にはいつでもこれに応じることをもって、公告としています。

Q4　乗車券は有価証券か（有価証券とは）？

A　有価証券です。
　有価証券とは、財産権を表した証券で、その権利の行使あるいは処分のためにその証券の占有を必要とするものをいいます。
（注1）記名式である定期乗車券等については、流通性（譲渡性）がないことを理由に、民事法的には有価証券でなく、単に運賃を支払った正当旅

客であることを証明する証拠証券とする説もあります。〔田中誠二著『商行為法』等〕
（注２）刑法上、有価証券偽造罪の対象となる有価証券は「官府の証券」等としており、小切手、乗車券、商品券も判例上有価証券とされています。

知っておきたいきっぷの話

　「きっぷ」という用語は、漢字で「切符」と表示した場合は「手回り品切符」、「一時預り切符」のように、旅客運送でないものに対して規則上は使用していますが、一般的には「乗車券類」を含んだ慣用語として、「東京から大阪までの新幹線きっぷを１枚」というように使われており、このような場合にはひらがなで「きっぷ」と表わすことが多いようです。

　正式な定義は旅客営業規則第１８条に乗車券類の種類「乗車券、急行券、特別車両券、寝台券、コンパートメント券及び座席指定券」として規定されています。旅客営業規則に定義はありませんが、「料金券」は、急行券、特別車両券など料金の収受を表する券の総称として一般的に用いています。

　さて、旅客運送事業では、乗車券類を発行することが一般的ですが、とりわけ鉄道事業では、不特定多数の利用者を対象とし、鉄道の利用は専らそれぞれの利用者の意思により決定されることから、それら不特定多数の利用者を迅速かつ円滑に運送するためには、鉄道事業者は個々の利用者が、いつ、どの区間をどのような列車、設備を利用して乗車するのかを一見して見分ける必要があります。また、利用者側にとっても、所要の運賃・料金を支払った正当な利用者であることや、自分がどの区間を利用するのかを意思表示する必要があります。それ故に、鉄道にとって乗車券類の必要性は非常に大きいと言えます。

　乗車券類の性格については、様々な観点から種々の解説がなされますが、運送契約の当事者である鉄道事業者と利用者との契約内容を表わす契約証票であるとともに有価証券としての性格を持つものです。また、利用者にとっては、列車に乗車する場合の権利証券（乗車する権利を表する証券）としての性格を持つものでもあります。

　乗車券類の発売を通じて運送契約が締結され、鉄道事業者は乗車券類の所持者に対して、その内容に従い運送サービスを提供することになります。このため、鉄道営業法第15条には「旅客ハ営業上別段ノ定アル場合ノ外運賃ヲ支払ヒ乗車券ヲ受クルニ非サレハ乗車スルコトヲ得ス」と定めている

ほか、同法および鉄道運輸規程には乗車券類に関する詳細な規定があります。また、法令の規定を受けてJRの運送約款である旅客営業規則（第5条）にも、「旅客の運送等の契約は、その成立について別段の意思表示があった場合を除き、旅客等が所定の運賃・料金を支払い、乗車券類等その契約に関する証票の交付を受けた時に成立する。」と規定して運送契約の成立時期を明記するとともに、「列車に乗車する旅客は、その乗車する旅客車に有効な乗車券を購入し、これを所持しなければならない。…」と規定（第13条）し、乗車券類の購入と所持を利用者に義務付けています。

　鉄道旅客輸送では、一度にたくさんの旅客を輸送しなければならないことから、個別に契約条件を交渉して運送契約を締結するのは困難です。一般的に運送契約は、事業者があらかじめ定めた運送条件について乗車券を購入するときに旅客が承諾したものとして契約を締結することになります。そのために、乗車券類には当該運送契約に関する必要最小限の内容は明記しておく必要があることから、様式、記載内容が決められています。

　本書の冒頭でも触れましたが、旅客営業規則は、最初に乗車券類の発売条件を規定し、次に利用者が支払いを要する運賃や料金がいくらかをその計算方等とともに規定し、その次に発売される乗車券類の効力に関する条件を規定し、その次に乗車券類の様式を券種別に規定し、その後に旅行に当たっての乗車券類の改札および回収について規定するという利用者の旅行の順序に従った構成になっています。

　さらに、運送契約の変更に関する乗り越し等の取扱方や運送契約の解除等に関する旅行見合わせ・旅行中止、運行不能等の場合の取扱いについてはその後に一括して規定されています。つまり、鉄道を利用する上でのそれぞれの時点における鉄道事業者と利用者の契約関係や契約条件を「乗車券類をどのように取扱いするか」という観点で体系的に構成したものと言えます。

　近年はチケットのデジタル化が進み、ＪＲ東日本の「新幹線ｅチケット」や東海道新幹線の「ＥＸ―ＩＣ」などインターネット予約によるICチケット（デジタル乗車券）やSuicaなどのICカード乗車券では、紙の乗車券類のように直接券面記載事項を確認することはできませんが、あらかじめ定められた利用（契約）条件を前提にして、ICチケット（デジタル乗車券）では購入情報とカードのIDを紐付けすることで乗車列車、乗車区間、設備等を判定したり、ICカードでの改札機での入出場処理により乗車区間を確定し運賃の引き去りを行うというように、紙の乗車券類の取扱いをベースに概念整理を行い、既存制度との平仄を取りながら新しい仕組みに適合する制度構築を行っています。

Q5　JR各社は、国鉄の分割・民営化時に旅客運賃・料金や旅客の取扱いは同一のもので移行したが、どういう根拠に基づいているのか？

A　昭和62年（1987年）4月の分割・民営時、国鉄改革に関する基本的な事項について定めた「日本国有鉄道改革法」第4条（利用者の利便の確保等）で、「国は、日本国有鉄道の改革の実施に際し、日本国有鉄道が経営している事業に係る利用者の利便の確保及び適切な利用条件の維持について特に配慮するものとする。」とされ、これを受けてJR各社は、旅客運賃・料金レベルその他の取扱内容を国鉄とほぼ同内容・同レベルで移行することとし、担保としてJR各社間で「旅客鉄道会社線に係る旅客等の取扱いに関する協定」を締結しています。JR各社ではこの協定に基づいた内容を各社の約款として公告し、同一の取扱いとするようにしています。各社間を跨る制度は同一の制度が現在も維持されています。

Q6　JR発足時点の同一運賃・料金は、平成8年1月のJR北海道、JR四国、JR九州3社の運賃改定により同一運賃ではなくなったが、JR東日本、JR東海、JR西日本の本州3社は今後も同一運賃レベルを維持するのか？

A　各社がそれぞれに運賃・料金の改定を行うこと、運賃・料金の種別などを変更することは、各社の経営の根幹にかかわることであり、経営環境も異なることから、それぞれの自主性や主体的な判断に委ねられるべきものと考えます。

　平成8年（1996年）1月10日実施のJR北海道、JR四国、JR九州3社の運賃改定では、各社の経営判断に基づき独自の値上げ申

請を行い、多少修正が加えられましたが、各社の特性を反映した改定が実施されています。ＪＲ発足時には、いずれの会社も早晩運賃改定が必要な状況になると想定されていましたが、本州３社については消費税の導入及び税率改定に伴う運賃改定等、増収を目的としない運賃改定だけで今日に至っています。しかしながら、鉄道事業を取り巻く環境が変化し、社会や利用者が鉄道事業に求める役割・ニーズが多様化・高度化する中、持続可能な鉄道事業を実現するためには運賃・料金の改定が必要になる時がいつかは来ます。また、ＩＴ化による鉄道利用のシステムチェンジが進むと、あらたな環境に適応した運賃・料金体系の構築が求められます。将来的には各社の独自性がさらに強くなっていくと思います。

　消費税率の改定に伴う運賃改定でも、平成９年（1997年）４月の改定では各社で運賃や料金の一部に違いができました。さらに平成26年（2014年）４月の改定では、ＪＲ東日本がSuicaなどＩＣカード利用時に適用する１円単位運賃を導入し、電車特定区間内と山手線内のきっぷに適用する運賃の税転嫁において端数を切上げしたことで、首都圏と大阪地区との違いが大きくなっています。

　また、特急料金などはＪＲ発足当初から線区の利用状況に応じた個別の料金が設定されていますし、九州新幹線や北海道新幹線でも独自の料金設定が行われています。

　各社内で完結する運賃・料金は独自の設定が行われてきた一方で、会社間にまたがる運賃料金は通算可能なものとし、かつ、改定する場合は予め他社に通知することが協定されています。また、「新会社がその事業を営むに際し当分の間配慮すべき事項に関する指針」（国土交通省告示）では、「当該旅客が乗車する全区間の距離を基礎として運賃及び料金を計算すること」とされ、「通算」を基本とすることが求められています。

Q7 国鉄時代の運賃改定は原則として賃率の認可となっていたが、鉄道事業法においてはどうか？

A 国鉄（JR）の運賃は「対キロ制」と呼ばれ、「運賃＝賃率×キロ数の処理等」で算出されるのが原則ですが、鉄道事業において運賃・料金が認可制を原則とされているのは、区間別・経由別の各駅間の発売額を認可対象とすることが本意であり、したがって、結果的に駅間別運賃・料金が特定可能なような算式、適用方全般にわたって認可の内容となっています。

(注) JR九州は、平成8年（1996年）1月、JR北海道は令和元年（2019年）10月、JR四国は令和5年（2023年）5月に実施した運賃改定時に、100kmまでの区間について「対キロ区間制」を導入しました。（Q44参照）

　鉄道事業者の運賃・料金を規制している鉄道事業法及び同法施行規則は、当時、交通・運輸部門における規制緩和が進む中で改正され、平成12年（2000年）3月1日から施行されました。この改正により、「上限価格制」が法律に明記され、運賃・料金については上限額の認可を受け、上限までの範囲内であれば届出により運賃の設定や変更ができることとなりました。また、料金関係で認可を要するのは新幹線の特急料金だけになり、在来線の特急料金等は事前届出により設定ができることになりました。

〔参考〕事前届出により設定（変更）できる料金
① 特別車両料金、寝台料金その他旅客車の特別な設備の利用料金
② 新幹線特別急行料金以外の特別急行料金等
③ 座席指定料金その他座席の確保に係る料金（乗車整理料金）
④ 利用者の円滑な移動及び施設の利用のために設けられる設備による安全かつ円滑な運送の確保に係る料金（鉄道駅バリアフリー料金）

(注) 入場料金、払いもどし手数料等は届出不要（無規制）です。

Q8 （1）運賃・料金改定前に購入した乗車券類を改定後使用する場合、その差額は収受されるのか？
（2）また、その差額収受について法律的制約があるのか？

A （1）乗車券類の購入（契約の成立）後の取扱いは、「別段の定めをしない限り、すべてその契約の成立した時の規定による」〔旅規第5条第2項〕こととしており、ＪＲの場合、慣例的に、お客さまに不利とならない取扱いとしています。

　したがって、不足額があってもその差額は収受せず、そのまま乗車の取扱いをし、逆に過剰となる場合──安くなる場合（運賃・料金改定といっても全部が値上げになるとは限らず、とくに料金関係については、キロ刻みの変更、Ｂ特急料金等の料金種別の新設などにより、部分的に安くなる場合があります）──は「別段の定め」をして買替え（原券を無手数料払いもどし、新券を新しい運賃・料金で発売）制度を準用し、差額の払いもどしをしています。

（注）旧運賃・料金を適用したものは、契約の終了まで、有効期間等の効力、乗車変更の取扱い、払いもどし手数料等、すべて旧の規定（契約成立時の規定）によることになります。

（2）運賃・料金の適用方に関する問題であり、法令上とくに制約はありません。（法令上は、ＪＲが「別段の定め」をして、不足額を収受することも可能です。）

Q9　ＪＲでは「きっぷ」を買った都度領収書は出さないのか？

A 領収書の取扱いについては、ＪＲ各社がそれぞれ定める部内規程によることとなります。ＪＲ東日本の場合は、「金銭出納事務規程」により、お客さまから請求があれば交付しなければならないこととして

います。また、指定席券売機や自動券売機のほか、えきねっとやモバイルSuicaでも必要なお客さまには領収書が発行できるようにしています。なお、令和5年（2023年）10月1日よりインボイス制度（適格請求書等保存方式）が開始されましたが、領収書には「登録番号」と「適用税率」および「税率ごとに区分した消費税額等」の記載を追加しています。

〔参考〕金銭出納事務規程第12条

（領収書類の発行）

第12条　金銭出納社員は、金銭を収納した場合は領収書類を発行して納入者に交付するものとする。

2　前項の規定にかかわらず、直収入の出納担当者又は駅区所出納責任者が収納する金銭については、当該旅客等から請求があった場合を除き、領収書類の発行を省略するものとする。

3　第1項の規定により領収書を発行する場合であって、納入者が作成する領収書類の提出を受けたときは、当該領収書類を使用することができる。

4　第1項の規定により発行する領収書類が、課税文書である場合は、税額相当の収入印紙を貼付する等の処置をとるものとする。

Q10　JRでは、クレジットカードや電子マネー等、どのような決済手段が可能なのか？

A　令和6年（2024年）4月現在、現金やビューカード等のハウスカードのほか、JRとクレジット会社との提携カード（カード面に「JR CARD」と表示されています）や一般クレジットカードについては、券売機やえきねっと等のインターネット予約サービス、みどりの窓口や旅行センター等で取り扱っています。ただし、JR各社で取扱範囲等は異なっています。

また、電子マネー決済については一部の券売機で対応しているほか、JR九州では一部の範囲でQRコード決済サービスも取り扱うなど、今後も、お客さまのニーズに合わせ、決済手段についても拡大していくものと推測されます。

Q 11 「旅行開始前の旅客運賃の払いもどし」や「使用開始前の定期旅客運賃の払いもどし」などの使用例があるが、「旅行開始」と「使用開始」の使用区分は？

A　「旅行開始」とは、お客さまが旅行を開始する駅において、乗車券の改札（自動改札装置による改札を含みます）を受けて入場することをいい、駅員無配置駅から乗車する場合はその乗車することをいう〔旅規第3条第10号〕と明示されています。

「使用開始」については用語の意義は設けていませんが、

① 「旅行開始」が、乗車券（普通・定期・回数・団体・貸切）に限定された用語であるため、急行券等、乗車券以外の乗車券類（いわゆる料金券）に対して同義語で用いる。

② 乗車券のうち、往復・連続乗車券、普通回数乗車券のように複数券片で構成されているもの、また、定期乗車券、フリーきっぷのように1券片で複数回使用可能なものについては、乗車の都度「旅行開始」が発生するが、乗車券の効力、払いもどしをする場合等に、これらの乗車券に対して最初の旅行開始をするか否かで「使用開始前」「使用開始後」という用い方をする。

という2通りの使用方をしています。

　なお、類例として「入鋏後（前）」があります〔旅基第325条「入鋏後の乗車券」等〕が、用例としては乗車券類に対する「入鋏」という物理的状態に着目したもので、「旅行開始」「使用開始」より狭い意味のものとして用いています。（Q186参照）

> **Q12 次の用語の使用区分は？**
> 　（1）「規程」と「規定」
> 　（2）「又は」、「若しくは」と「及び」、「並びに」
> 　（3）「適用」と「準用」
> 　（4）「乗車券」、「乗車券類」と「きっぷ」
> 　（5）「急行券」と「普通急行券」
> 　（6）「旅客運賃」と「料金」

A（1）「規程」と「規定」

「規程」は、一連の条項（規定）の総体を指す場合、あるいは名称（標題）として用いるのに対し、「規定」は一個の法令等における個々の条項の定めに対して用います。

　なお、類例として「定め」がありますが、「規程」全体を受ける場合、あるいは、条項のない通達の個々を受ける場合に使用しています。

〔使用例〕
　「旅客営業に関する規程」
　「旅客営業取扱基準規程」
　「第3条第2項に規定するところにより」
　「旅客及び荷物営業管理規程の定めによるほか」
　「通達第3項の定めを準用し」

（2）「又は」、「若しくは」と「及び」、「並びに」

　① ［又は］「若しくは」＝or又はand・orとして用います。

　② 「若しくは」＜「又は」（一連の言葉のなかで1つだけの接続は「又は」を用い、併用するときは大きい接続に「又は」を用います。）

　　なお、文節の接続詞として用いる「また」はひらがなで「……、また、……」と示します。

　③ 「及び」「並びに」＝andとして用います。

④　「及び」＜「並びに」（一連の言葉のなかで１つだけの接続は「及び」を用い、併用するときは大きい接続に「並びに」を用います。）
〔使用例〕
　「……計算経路が環状線一周となるとき又は一部若しくは全部が復乗となるときは……」
　「……旅客運賃及び料金の割引率並びに……」
(3)「適用」と「準用」
　「適用」は、特定の法令等の規定をある人・ある事項等に対し働かせることで、そのまま同質のものに引用するのに対し、「準用」は、ある事項に関し本質的に異なる事項につき若干の変更を加えてあてはめることで、いわゆる読み替えです。
　「準じて」という［準用］の類語がありますが、「準用」が必要な修正を加えつつあてはめるということであって独自の規定を設けるものではないのに対し、「準じて」は、ある一定の規定等を基準としてこれにのっとるが、別に規定を設け、あるいは取扱いを定めることをいいます。
〔使用例〕
　「……第92条に規定する学生割引の適用を請求することができる。」
　「前項の規定は、営業キロを使用して料金を計算する場合に準用する。」
(4)「乗車券」、「乗車券類」と「きっぷ」
　「乗車券類」とは、旅規第３条第８号に「乗車券、急行券、特別車両券、寝台券、コンパートメント券及び座席指定券をいう。」と規定しています。
　「乗車券」は、旅規第18条第１号の種類の規定中「普通乗車券、定期乗車券、普通回数乗車券、団体乗車券、貸切乗車券」と区分され、旅客運賃収受を表章する券の総称として用いています。
　「乗車券類」は、「乗車券」のほかに料金収受を表章するいわゆる料金券を含んだものですが、入場券、一時預り切符、手回り品切符は含

まれていません。ひらがなで「きっぷ」と表わす場合は、一般的には「乗車券類」を含んだ慣用語として使われます。

(注)「乗車券」は、団体乗車券というように必ず語尾に「乗車券」を付しており、いわゆる料金券は、急行券、寝台券というように［券］のみを付しています。

(5)「急行券」と「普通急行券」

　慣例的には「急行券」は「普通急行券」と同義語として（列車についても「急行列車」といえば「普通急行列車」を指しています）使用していますが、旅客規則上「急行券」とは、特別急行券及び普通急行券の総称〔旅規第18条第2号〕をいい、また、「急行列車」とは、特別急行列車及び普通急行列車の総称〔旅規第3条第4号〕として用いています。

(6)「旅客運賃」と「料金」

「旅客運賃」は、運送という基本役務に対する対価であるのに対し、「料金」は、速達性、特別の設備利用、手配行為等の付加価値に対する対価であり、「旅客運賃」は乗車券に、「料金」は乗車券以外の乗車券類（いわゆる料金券）に表章されます。

「旅客運賃」という用語には、特別車両定期旅客運賃のように明らかに料金を含んでいるもの、あるいは含んでいると解されるもの〔鉄道営業法第14条「運賃償還ノ債権ハ……」、鉄道運輸規程第19条「2倍以内ノ増運賃ヲ……」〕もあります。

　一般的には「タクシー料金」とか「きっぷの料金はおいくらですか」というように、運賃あるいは運賃を含んだものまで「料金」と呼称されている例がありますが、ＪＲでは「料金」に運賃部分を含ませた用例はありません。なお、運送関連以外のもの──入場料金、手回り品料金等には、「料金」という用語を使用しています。

Q 13　混雑した列車で、やむを得ずグリーン車の車両内又はデッキに乗車した場合にグリーン料金を請求する根拠は？

A　グリーン車に乗車する場合は、グリーン券を所持しなければならないとしており、また、デッキを含めグリーン車としていますので、特に乗車を容認している場合を除けば座席使用の有無にかかわらずグリーン料金を収受します。

〔旅客規則第13条第2項第2号〕

Q 14　満席の全車指定制の列車に指定券を所持せずに乗車したお客さまに対する車内での取扱いは？

A　全車指定制の列車に乗車する場合は、当該列車に有効な乗車券類を所持しなければなりません。したがって、全車指定制の列車に有効な指定券を所持せず乗車した場合は、無札として扱い、増料金を収受すると定めています。しかし実際の運用場面においては、不正乗車を目的としたものでない限りは指定券の料金相当額のみを収受し、増料金は収受していません。

〔旅客規則第13条第4項・第267条、旅客基程第307条〕

Q 15　駅員無配置駅から無札で乗車する場合の契約の成立時期はいつか？

A　お客さまとの運送契約は、運賃・料金の支払いを受け、乗車券類を交付した時に成立しますが、乗車券類を発売していない駅から無札で乗車する場合は、お客さまが列車に乗車することが契約の申込みとなり、ＪＲが乗車を認めることが申込みの承諾となります。運賃・料金の収受は、乗車後、速やかに行うこととなります。

Q16　無人駅～無人駅間乗車したが、支払額がわからないのだが？

A（1）無人駅（駅員無配置駅）発着のお客さまの取扱いは、列車の乗務員が取り扱うこととしていますので、乗車後であれば、乗務員に申し出て乗車券を購入していただくことになります。

〔旅客規則第15条〕

乗車前であれば、その駅員無配置駅に隣接する駅員配置駅において必要な乗車券類を発売しています。〔旅客規則第19条第1項・第2項〕

（2）下車後別途申出があった場合は、乗車区間に相当する旅客運賃を収受し、不足運賃として処理することとなります。

Q17　無人駅から乗車した旅客に対し、次の乗車券類は車内で発売するのか？
（1）戦傷病者割引乗車券
（2）身障者割引乗車券
（3）学生割引乗車券

A（1）発売します。　　　　〔JR各社戦傷病者規則第4条〕
（2）発売します。　　　　　　〔旅客規則第23条の3〕
（3）発売します。　　　　　　〔旅客規則第23条の3〕

Q18　ワンマン列車の場合、乗車券は発行しなくてよいのか？

A　JRにおいて特に指定する列車等の場合で、乗車後乗務員の請求に応じて所定の旅客運賃及び料金を支払うときは、乗車券を購入所持しないことを予定しており、ワンマン列車の場合は、直接現金により支払うことができます。　　〔旅客規則第13条第1項ただし書〕

Q 19　営業キロと実測キロの相違は？

A 営業キロは、実測キロを原則とした駅間のキロ数ですが、並行する（同一の線路として取扱いする）在来線がある新幹線の場合や、トンネル等で上下線が異なった地に敷設されている場合等は、実測キロによっていない場合があります。

なお、整備新幹線の駅間の営業キロは新幹線の建設キロに基づき設定しています。

Q 20　560円の急行券を購入するため10円硬貨56枚を出したら受け取ってもらえなかった。ＪＲは小額貨幣は受け取らないのか？

A 「通貨の単位及び貨幣の発行等に関する法律」（昭和62年法律第42号）第7条に「貨幣は、額面価格の20倍までに限り、法貨として通用する。」と規定されています。しかし、係員において特段の支障のない限り受け取ることが望ましいと思います。

（注）同法律第5条に「貨幣の種類は、500円、100円、50円、10円、5円及び1円の6種類とする。」とありますから、法的には、500円硬貨は10,000円まで、100円は2,000円まで、50円は1,000円まで、10円は200円まで、5円は100円まで、1円は20円までが通用限度となります。

かつて旅客営業規則等に規定されていた「自動車線」「乗車船」「航路」とは

　旅客営業規則等にはかつて「自動車線」「乗車船」「航路」等の文言が記載されていました。まず自動車についてですが、かつて鉄道の代行・短絡などの補助的役割を果たすという使命をもって、「国鉄自動車」が生成発展してきました。このような背景から、運送約款についても、鉄道と一体となった輸送に関する取扱いと自動車線内に完結する取扱いの双方について旅客営業規則に規定していました。

　ＪＲ発足時はＪＲ各社がバス部門を直営で引き継ぎましたが、昭和63年（1988年）4月にＪＲ東日本、ＪＲ東海及びＪＲ西日本が、それぞれバス部門を分社独立させました。分社した各バス会社はそれ以降、「一般乗合旅客自動車運送事業標準運送約款」によって運送事業を行うようになりました。平成12年（2000年）4月のＪＲ北海道、平成13年（2001年）7月のＪＲ九州からのバス分社についても同様です。

　さらに平成14年（2002年）10月から、唯一旅客鉄道会社の直営であるＪＲ四国においても自動車線に係わる運送約款を分離して、それまでの旅客営業規則から「一般乗合旅客自動車運送事業標準運送約款」によって運送事業を行うこととしました。この結果、旅客営業規則には自動車線に係わる規定の必要性がなくなりました。

　また、かつて青函航路や宇高航路などが航路を挟んだ前後の鉄道区間を結んで旅客・貨物の連絡運送を行っていましたが、これら航路に関わる運送の取扱いについても旅客営業規則等に定められていました。ＪＲ発足後、青函航路は青函トンネル（津軽海峡線）の開通により、宇高航路は瀬戸大橋（瀬戸大橋線）の開通により廃止されましたが、ＪＲ西日本が直営で運航する宮島航路が残っていたため、旅客営業規則等に当該航路に関する取扱い等を規定していました。しかし、平成21年（2009年）4月に航路の経営が分離されたことから旅客営業規則等から関係する条項と文言が削られました。

Q 21　令和 5 年（2023 年）3 月より、一部の鉄道事業者で設定している「鉄道駅バリアフリー料金」とは何か？

A　国土交通省において、第 2 次交通政策基本計画（令和 3 年 5 月閣議決定）において示された方向性を踏まえ、令和 3 年（2021 年）12 月に鉄道駅のバリアフリー化により受益する全ての利用者に薄く広く負担をいただく制度、いわゆる鉄道駅バリアフリー料金制度が創設されました。

　本料金制度では、鉄道事業者が利用者から収受した料金（鉄道事業法第 16 条第 8 項及び同法施行規則第 34 条第 4 項に定める事前届出により設定）を、ホームドアやエレベーターなどのバリアフリー設備の整備（設置、改良、更新、維持管理等）に充てられることになります。透明性の確保を図る観点から、鉄道事業者は、事前届出時におけるバリアフリー設備の整備・徴収計画の公表、毎年度における整備・徴収実績（前年度の整備費・整備内容、徴収額等）の公表等を行っています。

Q 22　鉄道駅バリアフリー料金の具体的な設定方法は？

A　令和 5 年（2023 年）3 月より、一部の鉄道事業者では鉄道駅バリアフリー料金制度を活用して、同料金を設定しています。料金の設定方法としては、運賃（普通・通勤）と一体のものとして合わせ収受しています。設定額や設定範囲については、制度の趣旨を鑑みて、事業者が設定することになっていますが、総整備費用を総徴収額が上回らない範囲で設定する必要があります。

　JR 東日本の場合は、令和 5 年（2023 年）3 月より、以下のように設定しています。

　　（1）対象範囲　東京の電車特定区間内完結
　　（2）料金設定額（大人）

普通旅客運賃		定期旅客運賃		
IC 運賃	きっぷの運賃	1 箇月	3 箇月	6 箇月
10 円	10 円	280 円	790 円	1,420 円

(参考) 鉄道駅バリアフリー料金設定事業者 (17 事業者)

【令和 6 年 (2024 年) 4 月現在】

JR 東日本 (電車特定区間・山手線内)、東京地下鉄、阪急電鉄、阪神電気鉄道、西武鉄道、小田急電鉄、神戸電鉄、京阪電気鉄道、大阪市高速電気軌道、山陽電気鉄道、JR 西日本 (電車特定区間・大阪環状線内)、横浜高速鉄道、西日本鉄道、東武鉄道、相模鉄道、JR 東海 (名古屋地区等)、京成電鉄

Q 23　一部地域で運転しているホームライナーなどの乗車整理料金は、どのような位置づけか？

A 乗車整理料金は、旅客規則の「特殊料金」の中に定めてあります。旅客規則上、「乗車券類」とは、乗車券、急行券、特別車両券、寝台券、コンパートメント券及び座席指定券をいう〔旅規第 3 条第 8 号〕とされ、また、旅規第 18 条の乗車券類の種類にも乗車整理券は入っていません。したがって乗車整理券は、厳密には旅客規則上の「乗車券類」には入らないと考えています。

　これらの点や、列車の始発駅等における座席確保の取扱いをする場合に収受するという設定の趣旨から考えますと、乗車整理料金を収受するきっぷである乗車整理券は、基本的には入場券に類似したものですが、座席位置を指定して発売する乗車整理券については効力的には指定券に類似したものといえます。

　なお、鉄道事業法上は、座席指定料金と同様、国土交通大臣への届出手続きで設定されています。

第2章
乗車券類の発売、旅客運賃・料金関係

〔1〕一般

Q 24　乗車券類の発売範囲を自駅発を原則としている理由は（券売機では他駅発も発売しているが）？

A　発売事務の簡素化、必要性等を勘案し旅客規則においては自駅発を原則としています。ただし、指定券を同時に発売する場合あるいは駅長において必要としたとき等は他駅発も発売できることとしています。現在では、マルス端末や指定席券売機等の販売機器の導入拡大により、他駅発となる乗車券類についても、お客さまのご利用方法や周辺駅の販売体制を考慮しながら発売しており、実態に即した取扱いとなっています。　　　　　　　　〔旅客規則第20条、旅客基程第27条〕

　旅行エージェントにおいては、連絡運輸となるものは所属駅と同様の発売範囲、その他は企画乗車券等特殊な乗車券類を除き、エージェントの特性を活かし、従前から各駅発のものを発売しています。

〔委託規則第7条〕

Q 25　旅客規則第64条（指定券と他の乗車券類との関連発売）は今でも使っているのか？

A　取扱方はJR各社が別に定めることとしています。〔旅客基程第106条〕
　なお、昭和40年前後の指定券需要が強かった時期には、全面的に適用していましたが、最近では、特殊な列車に対して乗車券・指定券を一葉化して発売するケース等が散見されるにすぎません。

Q 26　鉄道の旅客運賃・料金の割引について、割引率等に限度があるのか？また、その根拠は？

A　運賃・料金の割引については、鉄道事業法が改正され、上限の範囲内での届出（Q 7 参照）となり、手続きの簡素化が進められるとともに、法改正前は最大5割までとされていた割引率の制限は撤廃されました。その結果、特別企画乗車券の価格設定などは事業者の自由な判断により行えることとなっています。ただし、一方で、「特定の旅客に対し不当な差別的取扱いをするもの」や「他の鉄道運送事業者との間に不当な競争を引き起こすおそれがあるもの」には、運賃・料金の変更命令が発動されることがある旨が明記されました。

Q 27　大人・子供と学生・生徒・児童・幼児・園児はどこが違うのか、違わないのか？

A　(1) 大人と子供は、年齢による区分をいい、旅規第73条第1項に次のとおり規定されています。

　　大人　　12歳以上
　　小児　　6歳以上12歳未満
　　幼児　　1歳以上6歳未満
　　乳児　　1歳未満

　ただし、例外規定として、12歳以上13歳未満の小学生は小児、6歳以上7歳未満の小学校入学前の小児は幼児として取り扱います。
（Q152参照）　　　　　　　　　　　　　〔旅客基程第111条〕
(2) 学生・生徒等は、在籍する学校等による呼称区分で、運送約款上は明確な定義はありませんが、学校教育法上「学生」、「生徒」、「児童」、「幼児」の使い方を次のように区分しており、また、学校教育法以外

の教育施設等の在籍者についても、ほぼ次のようになっています。
　　学生　　大学生、大学院生、高等専門学校生
　　生徒　　中・高生、各種学校生、専修学校生、国公立の学校以外の
　　　　　　教育施設（航空大学校等）の在籍者
　　児童　　小学生
　　幼児　　幼稚園児
　　園児　　保育所児・幼稚園児

> **Q 28**　乗車券所持旅客に随伴される幼児・乳児について。
> 　　（1）旅客規則上2人まで無賃というのは法的に強制され
> 　　ているのか？
> 　　（2）幼児2人、乳児1人を随伴する場合の運賃は？

A　(1) 2人まで強制はされていませんが、鉄道運輸規程第10条によれば、1人は無賃とすることを強制されており、JRの場合、2人まで無賃としているのは、うち1人はJRのサービスともいえます。
（注）鉄道営業法、鉄道運輸規程の旅客に関する制約条項をお客さまに有利
　　に緩和すること（例：無賃扱人員、払いもどし）は、法解釈上許容される
　　とされています。
(2) 乳児は何人随伴しても無賃です。（旅規第73条第2項第2号は、幼児に関する制限規定であって、乳児に関する制限規定ではありません。）

> **Q 29**　「割引」と「特定」と「低減」は規則上使い分けをしている
> 　　ようであるが、どう違うのか？

A　「割引」は、基本の旅客運賃・料金から一定割合（率又は額）のものを差し引くことであり、「特定」は、基本の旅客運賃・料金から離れて別の額とすることであり、「低減」は、基本の旅客運賃・料金か

ら一定額を差し引くことであり、また「低減」した結果を「特定」の額と称する場合もあります。

具体例では、
① 「割引」……学生に対する割引普通乗車券を発売する場合は、大人普通旅客運賃の2割を割引する。
② 「特定」……区間を定めて特定の特別急行料金とする。
③ 「低減」……530円を低減した額を自由席特急料金とする。

なお、規則上、「割引」は重複割引しない〔旅規第76条〕ことを原則としますが、「特定」、「低減」とも「割引」ではないので、当該特定額、低減した額を割引できるという差異があります。

Q30 経路特定〔旅規69条〕、列車特定〔旅規70条の2〕、選択乗車〔旅規157条〕の相違点は？

A (1) 経路特定

a 特定の区間の類似した並行する線区において、輸送量調整を行うとともに、発売事務の緩和を図る見地から、旅客運賃・料金とも短い経路の営業キロ又は運賃計算キロによるとする制度（途中下車可能・経路表示しない）です。

・東海道本線・北陸本線対湖西線等9区間。

b 多分に沿革的なものもありますが、列車特定に比し、線区単位に輸送量調整を行っているといえます。

c 短い方の経路での計算を強制するため区間数に限度があります。

d 運送約款の一条項として強制しています。

e ほかに旅規第70条の経路特定（Q31）があります。

(2) 列車特定

a 経路特定に類似しますが、両線区とも直通する特急・急行列車があり、当該直通特急・急行列車（一部区間では普通列車）に乗車する

ことを条件に、旅客運賃・料金とも短い経路の営業キロ又は運賃計算キロによるとする制度（途中下車不可・運賃計算経路表示）です。
　　・山陽本線・播但線及び山陰本線（「はまかぜ」）対東海道本線・福知山線及び山陰本線（「北近畿」）等5区間。
b　経路特定の例外措置としての内部規定として位置づけています。
(3) 選択乗車
a　経路特定、列車特定と異なり、特定の区間（＝選択乗車区間）において、券面表示経路以外の経路に乗車できる制度で、普通乗車券、普通回数乗車券のみ対象（定期乗車券、料金券等は対象外）としています。
b　発売は、お客さまの申出どおりの経路とし、効力として他経路の乗車を認めている制度です。大都市近郊区間内制度も選択乗車の一種です。
c　遠い方の経路を発売してもお客さまの申出経路であれば、約款上間違いではありませんが、運用面では短区間経路発売が定着しています（大都市近郊区間以外の大部分の選択乗車区間では途中下車可能）。
d　経路特定、列車特定に比し、ローカル色が強いといえます。
　　・別線扱い区間の新幹線対在来線等57区間と東京、大阪、福岡、新潟及び仙台の大都市近郊区間。

Q 31　旅客規則第70条の経路特定区間は、大宮、蘇我、鶴見までであったものを平成16年（2004年）に縮小したが、その理由は？

A　経路特定制度は、ある区間に2つ以上の経路があり、どちらも同程度の列車頻度がある場合、当該区間の経路の指定をせず、最短経路によって運賃・料金を計算する制度であり、東京付近の経路特定区間のように経路が複雑に入り組んでいるエリアでは、乗車経路どおりに計算せずとも最短経路で発売できる点がメリットですが、縮小前の第70

条区間は、埼京線や京葉線の開業等を経て、そのエリアが拡大しすぎたために、システム上の対応も非常に複雑になっていました。

また、当該区間にかかわる乗車変更等の取扱いの複雑さや、不必要なう回乗車、う回乗車中の旅行中止等、一般的な利用形態とは言い難い利用に伴う運用上の混乱が生じていました。

このため、システム上の不整合や運用上の混乱を生じないよう、この制度の設定趣旨に照らし、本来必要なエリアに限定したものです。

ただし、縮小した区間を通過する場合の運賃・料金を変動させないために、赤羽～大宮間など縮小した区間については、旅客規則第69条の経路特定区間として残しました。

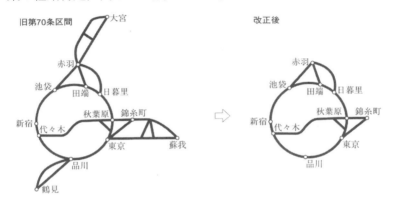

Q32　ＪＲ線と通しの乗車券が買える会社線と買えない会社線があったり、一部の区間の乗車券しか買えないことがあるが、どのように決められているのか？

A 経営主体の異なる2以上の運輸機関を通して利用する旅客に対して、1つの運輸機関と同じように全区間を通した乗車券（「連絡乗車券」といいます。）を発売して利便を図るとともに、接続駅での業務や設備の重複を省くことで経費節減を図るため、関係運輸機関が契約を締

結して実施するのが連絡運輸です。実施にあたっては「連絡運輸規則」を共通約款として取扱いの統一を図っています。

　連絡運輸の取扱範囲（連絡乗車券の発売範囲）は、各運輸機関の利用状況やその対応能力などを考慮してそれぞれの取扱範囲を定めています。特急列車の直通運転があるなど特殊な例を除けば遠距離になるに従い利用者が漸次減少することから、必ずしも運輸機関相互の全駅では無く、利用状況に応じて地域的な取扱範囲（この地域的範囲を「連絡運輸区域」といいます）を定め、その範囲内に限って連絡乗車券を発売します。また、駅における乗車券類の設備（券売機の口座設定）や業務資料（運賃表、案内資料等）の整備などフロントにおける業務負担が伴いますので、これらも考慮して関係運輸機関が協議して取扱範囲が決められます。

　なお、連絡運輸の場合における旅客運賃及び料金は、関係運輸機関がそれぞれ認可等を得て自線内に適用している所定額を合算するいわゆる「併算制」となっています。

Q 33　「近鉄四日市〜（近畿鉄道線）〜名古屋〜（東海道線）〜東京（都区内）」の連絡乗車券は、ＪＲ東海は連絡運輸を行っているがＪＲ東日本は行っていない。この場合、ＪＲ区間は旅客規則等が適用されるのか？
　（1）熱海〜東京間は幹在同一線として乗車可能か？
　（2）「東京都区内」発または着となる場合は、当該エリア内のＪＲ東日本の在来線に乗車可能か？
　（3）このように会社間で取扱いに違いがある場合、東京、品川など新幹線と在来線の併設駅ではどちらの会社の窓口かで発売の可否も違ってくると思うが、ＪＲ各社間で統一を図るべきではないか？

A 連絡運輸の取扱範囲は利用状況や発売体制等を考慮して各社毎に定めています。(前Q32参照) 新・在併設駅でＪＲ東海とＪＲ東日本の取扱範囲が異なっていると質問のような事象が生じます。
(1) 乗車可能です。
(2) 乗車可能です。
(3) 利用実態を踏まえ、本当に必要であれば連絡運輸区域を見直します。利用が僅少であれば、本事例のようなことが想定されても利用実態に見合った範囲としています。連絡運輸を行うことは、運賃改定や新駅設置や駅の改廃など各社個別の施策が相互に影響を受けますので、各社の判断が尊重されるべきと考えます。

Q34　連絡運輸区域外の土浦駅に、「土浦～（常磐・東北線）～東京～（東海道新幹線）～京都～（京都丹後鉄道線「はしだて５号」）～ 網野」の乗車券・特急券の購入申出があった場合、次のどちらが推奨される発売方法か？
(1) 特急券のみを発売し、運賃は現地での精算を案内する。
(2) 連絡運輸区域内の「東京（都区内）～ 網野」の乗車券と「土浦～金町」の乗車券を発売し、分割乗車券での併用を案内する。

A 連絡運輸の取扱区域外であることをまずご案内するということが大前提になりますが、特段のお申出が無ければ、乗車券はＪＲ線区間のみを発売し現地（車内）での精算をお願いします。(2)のような購入のお申出があった場合には、発売は可能です。

Q 35 「通過連絡運輸」とはどのような取扱いか？ また、その場合のＪＲの運賃・料金はどのように算出するのか？

A 通過連絡は、ＪＲ線～連絡会社線～ＪＲ線というように、ＪＲ線の中間に連絡会社線をはさんで乗車する場合に、全区間の通しの連絡乗車券類を発売する取扱いです。この場合のＪＲ区間の運賃・料金は、前後のＪＲ区間の営業キロ（又は運賃計算キロ）を通算して算出します。

〔旅客規則第68条第１項第２号〕

Q 36 通過連絡運輸の取扱いは、中間に何社介在しても適用するのか？

A 通過連絡の形態として、ＪＲ線～連絡会社線①～連絡会社線②～ＪＲ線のような介在パターンと、ＪＲ線～連絡会社線①～ＪＲ線～連絡会社線②～ＪＲ線のような介在パターンが考えられますが、いずれも通過連絡運輸の取扱範囲に複数会社経由が定められている場合は取り扱います。

前者のパターンとしては、東北本線の盛岡以遠（東北本線、田沢湖線、山田線方面）と青森以遠（奥羽本線、津軽線方面）の各駅相互間をＩＧＲいわて銀河鉄道と青い森鉄道とを経由して乗車する場合、長野以遠（安茂里・松本間各駅）と直江津以遠（黒井・新潟間各駅）とをしなの鉄道とえちごトキめき鉄道を経由して乗車する場合、津幡以遠（七尾線各駅）と富山以遠（北陸新幹線、高山線方面）をＩＲいしかわ鉄道とあいの風とやま鉄道とを経由して乗車する場合等があります。

なお、後者のようなパターンの連絡運輸区域は現在ありません。ＪＲ線～ＩＲいしかわ鉄道線～ＪＲ線～のと鉄道線各駅というような２社にまたがる例もありますが極めて限られており、１社介在が通例です。

〔参考〕連絡運輸区域の規定例

○ 青い森鉄道線及びIGRいわて銀河鉄道線を経由して、次の旅客会社線の左欄の各駅と右欄の各駅相互間

旅客会社線	経由運輸機関名及び区間	旅客会社線
北海道会社線　各駅 東日本会社線　各駅	**IGRいわて銀河鉄道線** 盛岡・目時間及び **青い森鉄道線** 目時・青森間	北海道会社線　各駅 東日本会社線　各駅
北海道会社線　各駅 東日本会社線　各駅	**IGRいわて銀河鉄道線** 好摩・目時間及び **青い森鉄道線** 目時・青森間	北海道会社線　各駅 東日本会社線　各駅
東日本会社線　各駅	**IGRいわて銀河鉄道線** 盛岡・目時間及び **青い森鉄道線** 目時・野辺地間	東日本会社線 大湊線各駅
東日本会社線　各駅	**IGRいわて銀河鉄道線** 好摩・目時間及び **青い森鉄道線** 目時・野辺地間	東日本会社線 大湊線各駅
東日本会社線　各駅	**IGRいわて銀河鉄道線** 盛岡・目時間及び **青い森鉄道線** 目時・八戸間	東日本会社線 八戸線　各駅
東日本会社線　各駅	**IGRいわて銀河鉄道線** 好摩・目時間及び **青い森鉄道線** 目時・八戸間	東日本会社線 八戸線　各駅

○ IRいしかわ鉄道線及び西日本会社線を経由して、次の旅客会社線の各駅とのと鉄道線の各駅相互間

旅客会社線		経由運輸機関名及び区間	のと鉄道線
東日本	東京都区内、横浜市内各駅	**IRいしかわ鉄道線** 金沢・津幡間及び **西日本会社線** 津幡・和倉温泉間	各駅

連絡運輸の変遷

　経営主体の異なる運輸機関（事業者）相互間で、あたかも同一の運輸機関内のような連続した運送を行うことを「連絡運輸」といいます。

　国鉄時代は旅客もさることながら荷物、貨物の連絡運輸の取扱いが大きなウエートを占めていましたが、ＪＲ発足後は旅客会社では専ら旅客に特化して連絡運輸を行っています。

　また、国鉄末期までは国鉄から私鉄のほかに民営バスや航路への連絡運輸も多数設定されていましたが、ＪＲ発足後は、各事業者間の精算業務の煩雑さや、貨物・荷物業務の大規模な縮小・廃止、自動改札機に対応する発券機等の改修・新設、乗車券類の発売体制の維持費用などの問題から連絡運輸の解消あるいは区域の縮小などが行われてきました。

　旅客に関わる連絡運輸では、接続駅で他社線に乗換えとなる利用形態と他社線に直通運転する列車を利用する形態とがあります。いずれの場合にも、出発地から到着地まで異なる事業者間を通した１枚の「連絡乗車券」を発売しますが、その発売範囲（連絡運輸区域）は関係する事業者間で決めています。

　連絡乗車券の主な種類としては、普通乗車券と定期乗車券があり、いずれか一方のみの取扱いという場合もあります。また、特急列車が直通する場合には連絡特急券を発売します。なお、連絡乗車券は双方向の利用があることを前提にしていますので、一部の例外を除くと相互発売が基本で、お互いに無手数料で事後の連絡精算を行っています。

　以前は、首都圏の駅の券売機コーナーには連絡会社線までの運賃表が掲出されて、連絡乗車券専用の券売機もありました。さらに券売機に収容出来ない区間の乗車券は窓口（「電車窓」と呼ばれていました。）で発売していましたが、Suica・PASMOの相互利用が浸透すると、従来の紙の乗車券の発売範囲は縮小されて、現在では連絡運賃表の掲出も無くなり、券売機には、乗継割引運賃設定区間※や通過連絡運輸区間など限定された区間の口座だけが、ＪＲ線区間と一緒の券売機に残るだけになっています。

　※国鉄と直通する営団地下鉄線（現東京メトロ）の区間に於いては同一の車両が直通し、利用者から見た時に、あたかも同一事業者の路線のようであるにもかかわらず、相互の初乗り区間の乗車の場合、最低運賃が２度加算される割高感が強いことから昭和57年（1982年）4月の運賃改定時に相互の初乗り区間程度の連絡片道乗車券に乗継割引運賃（大人20円、小児10円引き）を導入しました。

その後開業した筑肥線と福岡市交通局との相互直通運転開始時には特定の連絡旅客運賃の設定という整理で類似した対応（双方の所定運賃を合算した額から20円引き）を行いました。この区間では定期旅客運賃にも特定額を定めました。
　昭和59年（1984年）1月の関東大手民鉄の運賃改定時には、国鉄と各社の接続駅に於いて双方の初乗り運賃区間程度の区間で普通旅客運賃の連絡乗継割引制度が導入され当初民鉄区間のみ10円引きとしていましたが、同年4月の国鉄の運賃改定から国鉄区間（1〜3km）についても同様に実施されました。
　その後、民鉄の運賃改定時等に民鉄区間のみ10円引きとする接続駅が追加され現在の形になっています。
　連絡運輸の効果が大きい他社線への直通運転の歴史は古く、明治27年（1894年）10月に山陽鉄道（現在の山陽本線）が神戸駅・広島駅間に運行開始した「急行列車」が、翌年10月には官設鉄道に乗り入れ京都駅発着となったという記録がありますから、明治時代から鉄道・軌道間で広範囲に直通運転が行われてきました。
　国鉄時代には、国鉄から地方私鉄への直通運転列車も多く運転されましたが、列車体系の変化や地方私鉄の廃線などで減少してきました。ＪＲ線から伊豆急行線・伊豆箱根鉄道線に直通する「踊り子」やＪＲ線から伊勢鉄道線を経由する「南紀」などは国鉄時代から残っている直通特急列車です。また、ＪＲ東日本での比較的新しい直通特急列車ではＪＲ線から東武鉄道線に直通する「日光」、「きぬがわ」、富士急行線に直通する「富士回遊」などがあり、いずれも観光流動の誘発を目的としています。
　特急列車以外でも国鉄時代から伊東線と伊豆急行線の相互直通運転は伊豆半島の観光や生活路線として維持されている代表的な路線です。
　また、高度経済成長期には大都市圏における相互直通運転が本格的に拡大してきましたが、国の都市鉄道整備計画に基づいた新線建設と相互直通運転が推進されたことが大きな要因になっています。国鉄線との相互直通運転も順次拡大され、首都圏では総武・中央緩行線と営団地下鉄（現東京メトロ）東西線（昭和41年（1966年）4月中野駅、昭和44年（1969年）4月西船橋）との間や常磐緩行線と営団地下鉄千代田線（昭和46年（1971年）4月）との間で、福岡では福岡市交通局と筑肥線（昭和58年（1983年）3月）との間で開始され現在に至っています。
　現在、大都市圏における相互直通運転ネットワークが広範囲に拡大されていますが、相互直通運転の効果としては、利用者メリットとして乗換え不便の解消と都心部へのアクセス向上などがあります。また、事業者メリッ

トとして駅に関わるコスト削減やターミナル駅の混雑緩和、車両の効率的運用による車両コストの削減などがあります。さらには、都心部直通による沿線価値向上や新規流動の創出なども期待されます。

　ＪＲ発足後、従来の連絡運輸の範疇については縮小という流れにありますが、その一方で、Suica・PASMOなどICカードの導入と相互利用範囲の拡大により、1枚のICカードで従来の連絡乗車券とは比較にならない広範囲での利用が可能になっています。また、連絡定期乗車券については複数枚のICカードの同時処理が出来ないことから、1枚の定期乗車券での発券を可能とする為に、各社の定期券発行システムの改修と連絡運輸範囲の拡大が行われています。ICカード登場以前は、首都圏における3社線連絡定期乗車券は直通運転が絡んだものを除けば極めて限られていましたが、ICカード定期乗車券の導入と相互利用範囲の拡大に伴い、旅客流動に合わせて多数の会社線を経由（最大4線連絡）する連絡定期乗車券が発売可能となっています。

Q 37　旅客規則第71条第1項第1号（駅と駅との中間での乗降）の具体的適用例は？

A　営業キロを定めていない臨時乗降場での乗降を認めるような場合の具体例としては常磐線「偕楽園」がありましたが、令和5年（2023年）2月1日より、営業キロを定めたことにより、本規定を適用している駅は令和6年（2024年）4月現在ではありません。

【令和5年（2023年）2月以前】

Q 38　お召し列車に同乗する新聞記者に対する旅客運賃・料金の収受方は？

A 乗車区間に対する無割引の旅客運賃と、原則として無割引の指定席特急料金を収受します。

Q 39　ＪＲグループとして初めて行われた平成8年（1996年）1月の3島会社の運賃改定（平成8年1月）の内容は、どのようなものか？またその後の運賃改定状況はどうか？

A 平成8年（1996年）1月10日、ＪＲ北海道・ＪＲ四国・ＪＲ九州の3社は、国鉄当時の昭和61年(1986年)9月以来ＪＲ発足後初めて（平成元年4月の消費税3％分の改定を除く）となる運賃改定を実施しました（本州3社は据置き）。

　この改定により、国鉄時代から続いていた全国同一の運賃体系はくずれましたが、分割・民営の趣旨からみても、地域特性・経営環境によって各社の運賃がある程度異なることは想定されていました。

　その内容は次のとおりです。
(1) 平均改定率は次のようになっており、運賃をアップし、料金は据え置きました。
　① 　ＪＲ北海道 7.0％
　　　　　　　（内訳：普通運賃 8.0％、定期運賃 17.2％、料金 0.0％）
　② 　ＪＲ四国　 6.7％
　　　　　　　（内訳：普通運賃 8.5％、定期運賃 13.1％、料金 0.0％）
　③ 　ＪＲ九州　 7.8％
　　　　　　　（内訳：普通運賃 9.2％、定期運賃 12.0％、料金 0.0％）
(2) 3社とも1～3キロの初乗り運賃が140円から160円に20円

アップとなり、また、10 キロまでの運賃は、ＪＲ九州の 7〜10 キロが 190 円から 220 円と 30 円アップした以外は、20 円アップとなりました。

(3) 近距離運賃の値上げ率が中長距離よりも大きく、定期運賃は割引率が縮小し、普通運賃よりも高い値上げとなりました。

　その後、厳しい経営状況を背景に、JR 北海道は令和元年（2019 年）10 月の消費税率改正に伴う運賃改定に合わせて全体で 11.1％（普通運賃 12.1％、定期運賃 22.4％、料金 1.8％）の改定を、JR 四国は令和 5 年（2023 年）5 月に全体で 12.8％（普通運賃 12.5％、定期運賃 25.6％、料金 5.1％）の改定を行いました。

(注) 上記の他、平成 9 年（1997 年）4 月（3％→5％）、平成 26 年（2014 年）4 月（5％→8％）、令和元年（2014 年）10 月（8％→10％）の消費税率改正に伴う運賃改定を経て、現在は〔参考〕のようになっています。

〔参考〕 JRの賃率及び10キロまでの普通運賃比較

(令和6年(2024年)4月現在、単位：円)

		10キロまでの運賃			賃率				
	幹線キロ地帯	1～3キロ	4～6キロ	7～10キロ	11～100キロ	101～200キロ	201～300キロ	301～600キロ	601キロ以上
	地交線キロ地帯				11～100キロ	101～182キロ	183～273キロ	274～546キロ	547キロ以上
東京山手線内		150(146)	170(167)	180(178)	13.25		—	—	
大阪環状線内		140	170	190					
東京の電車特定区間		150(146)	170(167)	180(178)	15.30		12.15	—	
大阪の電車特定区間		140	170	190					
東日本 東海 西日本	幹線	150(147)	190(189)	200(199)	16.20		12.85	7.05	
	地方交通線	150(147)	190(189)	210(210)	17.80		14.10	7.70	
北海道	幹線	200	250	290	対キロ区間制	19.70	16.20	12.85	7.05
	地方交通線	200	250	300	対キロ区間制	21.60	17.80	14.10	7.70
四国		190	240	280	対キロ区間制	19.20	16.20	12.85	7.05
九州		170	210	230	対キロ区間制	17.75		12.85	7.05

(注1) JR四国、JR九州の地方交通線は、擬制キロ制により上記にあてはめて算出します。なお、JR九州は特定額の定めがあります。

(注2) 10キロまでの運賃額は消費税(10%)込み、賃率(11キロ以上)は消費税別です。なお、10キロまでの運賃の( )は、JR東日本のIC運賃です。

(注3) 左欄の10キロまでの東京・大阪の電車特定区間、東京山手線内及び大阪環状線内の運賃額には鉄道駅バリアフリー料金(10円)込み、JR東海の名古屋地区を利用する場合は幹線に10円が加算されます。

Q 40 運賃レベルの異なる本州3社と3島会社とにまたがる運賃計算は、どのようにするのか？本州3社とJR北海道とにまたがる運賃計算は、北海道新幹線開業に伴いどのように変わったのか？また、時刻表の「さくいん地図」には、北海道新幹線だけが路線として記載されているが、「四季島」が北海道まで在来線で運行されている。従前の海峡線区間（在来線）の記載は無いが、同区間の運賃・料金計算（営業キロや適用する運賃等）はどのようになっているのか？

A JR北海道・JR四国・JR九州の3社と本州3社とのまたがりとなる運賃計算は、「通算加算制」という方式で行います。

　通算加算制とは、全乗車区間に対して従来（改定前）の運賃計算方法によって算出する「基準額」（現在は本州3社の運賃と同じです）と、3島会社内の乗車区間に対する差額（各社独自の運賃改定に伴うアップ額で、「加算額」といいます）を合計して計算する方式です。

　3島会社内の乗車区間が変わらなければ、本州会社内の乗車区間が異なっても加算額は同じです。例えば、東京〜新函館北斗間を乗車する場合でも、名古屋〜新函館北斗間を乗車する場合でも、加算額は変わりません。

　北海道新幹線の開業に伴い、本州から北海道新幹線（新青森・新函館北斗間）を経由してJR北海道にまたがる場合の運賃計算は、従来の海峡線経由（中小国駅が会社境界）ではなく北海道新幹線経由（新青森駅が会社境界）の営業キロを用いて算出した基準額に、JR北海道区間の乗車区間に対する加算額を合計して計算します。なお、時刻表上でも黒線で表示されている北海道新幹線（新青森・新函館北斗間）は幹線の運賃表により計算します。

　一方、北海道新幹線の開業時より時刻表の「さくいん地図」から海

峡線の記載は、消えましたが、これは定期列車の運行を終えたためです。しかし時刻表の「さくいん地図」から記載が消えただけであり、運送約款である旅客規則の別表第1号「地方交通線の線名及び区間」には引き続き地方交通線として海峡線が記載されています。平成29年（2017年）5月より「四季島」が海峡線を経由して運行しておりますが、同線を経由する場合の運賃計算については、従前と同様、地方交通線として計算しています。

(注) 海峡線（在来線）中小国・木古内間の営業キロ：87.8キロ（賃率換算キロ：96.6キロ）は従前と同様ですが、木古内・五稜郭間は「道南いさりび鉄道」に経営移管されたため、同区間は連絡運輸の取扱いになります。

・通算加算制のしくみ

〔3島会社区間〕→ 　加算額（アップ分の差額）　｜全区間
〔全区間〕→ 　基準額（現在は本州3社の運賃と同じ）　｜の運賃

・大人普通旅客運賃の計算例

(1) 北海道方面

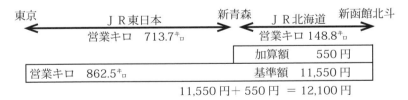

11,550円 + 550円 ＝ 12,100円

（2）四国方面

```
東京  JR東日本・JR東海・JR西日本  児島    JR四国    高松
←──────────────────────────→←──────────────→
       営業キロ 760.7キロ              44.0キロ
                                   ┌──────────────────┐
                                   │ 加算額    210円  │
       ┌──────────────────────────┬──────────────────┤
       │ 営業キロ 804.7キロ       │ 基準額  11,330円 │
       └──────────────────────────┴──────────────────┘
        11,330円＋210円＋加算普通旅客運賃※110円＝11,650円
```

※ 本四備讃線（愛称：瀬戸大橋線）児島〜宇多津間を通過する場合は、加算普通旅客運賃110円を加算します。

（3）九州方面（博多まで新幹線乗車の場合）

```
15,070円＋190円＝15,260円
```

（注）小児運賃や割引運賃は、上記により算出した大人の出来上がりの額（合計額）について、半額計算又は割引計算を行います（特定運賃を設定していない場合）。

Q41 「普通旅客運賃の加算額」と「加算普通旅客運賃」とは、どう違うのか？

A 「普通旅客運賃の加算額」とは、北海道・四国・九州の各旅客鉄道会社の運賃改定に伴い賃率に差異が生じたため、他の旅客鉄道会社にまたがる場合の運賃計算において、改定会社の値上げ分を計算した額のことをいいます。　　　　　　　　　　　　〔旅客規則第85条〕

「加算普通旅客運賃」とは、新線の開業時等における線区の収支状況を考慮して、建設にかかるコスト等を回収するため、適用する区間に対して設定した運賃をいいます。適用する区間は、旅客規則第85条の2に定める6区間です。　　　　　　　〔旅客規則第85条の2〕

（注）割引運賃は、加算した額（合計額）から割引します。

Q42 通算加算制では、長距離を乗車する場合でも、加算額は遠距離逓減制の恩恵を受けられないと思うがどうか？

A 3島会社とまたがりとなる運賃計算は、前述（Q40参照）のとおり「基準額」に「加算額」を加える「通算加算制」で計算します。
「基準額」は、これまでと同様の遠距離逓減制が働くことになります。また「加算額」については、計算区間が基準額の計算区間より短いので基準額と同じ逓減率とはなりませんが、改定会社内の乗車区間が長ければ、「加算額」についても遠距離逓減制が働くことになります。

Q43 JR四国とJR九州は、地方交通線の運賃計算に擬制キロ制を採用したが、擬制キロ制とは何か？ 賃率換算キロや運賃計算キロとはどう違うのか？

A （1）JRの地方交通線は、従来、すべて幹線運賃を1.1倍（10％増し）した地方交通線運賃を適用していました。また、地方交通線と幹線にまたがる場合の運賃計算は、地方交通線区間の営業キロを10％増しに換算した「賃率換算キロ」と幹線区間の営業キロを合計した「運賃計算キロ」を「幹線の運賃表」にあてはめて計算していました。

平成8年（1996年）1月以降、JR四国とJR九州の地方交通線の運賃計算は、地方交通線区間の営業キロを10％増しに換算した「賃率換算キロ」を「擬制キロ」という名称に改め、「幹線の運賃表」にあてはめて計算することにしました。これが地方交通線の「擬制キロ制」による運賃計算方法です。したがって、地方交通線運賃はなくなり、幹線の運賃表1種類となりました。（厳密には、幹線運賃と地方交通線運賃の区別がなくなり、1種類の運賃となりました。）

（2）JR四国とJR九州は、地方交通線の「賃率換算キロ」をそのま

ま「擬制キロ」として使用しており、数値は変わっていません。

また、改定後の地方交通線と幹線をまたがる場合の運賃計算は、地方交通線区間の「擬制キロ」と幹線区間の営業キロを合計した「運賃計算キロ」を、(幹線に適用する) 運賃表にあてはめて計算する方法で従前と変わりありません。

Q 44　ＪＲ九州、JR北海道、JR四国の採用した対キロ区間制とは、どういうものか？

A「対キロ区間制」は、一定距離を基準とする区間の運賃額を定め、発駅を起点とする区間運賃によって、乗車区間の運賃を定める制度です。例えば、1〜5キロは100円、6〜20キロは5キロごとに30円加算、21〜40キロは5キロごとに40円又は30円を交互に加算するといった方式です。

〔例〕

キロ区分	1〜5	6〜10	11〜15	16〜20	21〜25	26〜30	31〜35	36〜40
運賃	100円	130円	160円	190円	230円	260円	300円	330円
間差	—	30円	30円	30円	40円	30円	40円	30円

この方式では、加算額及び区間キロ等を変更することによって、区間ごとの逓減率を調整することが可能となります。大手私鉄などで採用している運賃制度の制定形態です。ＪＲグループでは、JR九州、JR四国、JR北海道が11キロ〜100キロまでの運賃を「対キロ区間制」によって定めています。

【令和6年（2024年）4月現在】

営業キロの区間	大人片道普通旅客運賃		
キロ	JR北海道（幹線）	JR四国	JR九州
11～15	340円	330円	280円
16～20	5キロまでを増すごとに100円加算	5キロまでを増すごとに100円加算	5キロまでを増すごとに100円加算
21～25			
26～30			5キロまでを増すごとに90円加算
31～35	750円	740円	
36～40	5キロまでを増すごとに110円加算	850円	5キロまでを増すごとに100円加算
41～45		980円	
46～50	1,130円	1,080円	940円
51～60	1,290円	1,240円	10キロまでを増すごとに180円加算
61～70	1,490円	1,430円	
71～80	1,680円	1,640円	1,500円
81～90	1,890円	1,830円	1,680円
91～100	2,100円	2,010円	1,850円

〔2〕地方交通線

Q 45　現行の運賃体系は全国一律ではないので、「地域別運賃制」といっていいのではないか？

A　平成8年（1996年）1月10日からのJR北海道、JR四国及びJR九州3社の運賃改定により、これらの3社はそれぞれ独自の運賃に変わりました。今後もJRでは、各社それぞれの運賃改定に伴い、会社ごとに運賃が異なることが予想され、運賃レベルの違いがはっきり出てくるものと思われます。

　JR各社内でも地方交通線の運賃は、幹線の計算とは異なっています。（JR北海道と本州3社は、地方交通線運賃を設定し、JR四国とJR九州は、地方交通線は擬制キロによって算出する方法をとっています。）

　また、JR東日本とJR西日本では、電車特定区間と東京山手線内・大阪環状線内にそれぞれ低廉な運賃を設定し、線区別に格差をつけています。（Q39参考欄参照）

全国一律運賃から地域（線区）別運賃へ

　国鉄の旅客運賃制度は、明治末期に鉄道国有法に基づき多くの私鉄を買収し全国的な鉄道網の整備が完了して以降ずっと全国一律の運賃制度を採用してきましたが、昭和59年（1984年）4月20日の運賃改定から、それまでの全国一律の運賃制度を改め、「幹線」、「地方交通線」別に基本賃率を定めました。さらに、昭和61年（1986年）9月1日の運賃改定から国電区間についても別の基本賃率を定めることで、いわゆる地域別運賃制度の導入が行われました。

この背景にあったのは、国鉄の経営状態の悪化です。昭和39年度に単年度赤字を計上して以降毎年度赤字が積み重なり、何度も再建に向けた検討や運賃改定を重ねましたが経営状態の改善は図られず、昭和53年（1978年）3月に「国有鉄道運賃法の一部を改正する法律」が施行され、国鉄の累積赤字が解消されるまでの間、経費の増加見込額の範囲内であれば国会の決議によらずに運輸大臣の認可により改定ができることになりました。同時に国鉄の運賃・料金制度の在り方が検討され、全国画一的運賃体系の限界と輸送市場の動向に対応した路線または区間等において運賃・料金に格差を設ける考え方の導入等が提言されました。

　昭和55年（1980年）には「日本国有鉄道経営再建促進特別措置法」が施行され国の行財政上の対策も採られることになり「昭和60年までに経営の健全性を確保するための基盤を確立し、速やかに事業収支の均衡を図る」ことになりました。同法施行令では「幹線鉄道網を形成する営業線に関する基準」、「地方交通線に関する基準」、「特定地方交通線（バス転換路線）」の基準が定められました。

　そうした中でも、国鉄の経営は極めて深刻な状態が続き、累積赤字と長期債務は莫大な額となっていったことから、昭和57年（1982年）7月臨時行政調査会（臨調）は第3次答申において、「国鉄再建を国家的課題とし、公社制度を抜本的に改め、責任ある効率的な経営を行いうる仕組みを早急に導入するため、分割・民営化が必要である」との方針が打ち出され、国鉄の経営する事業の再建を推進するための体制として、国鉄再建関係閣僚会議及び国鉄再建監理委員会が設置されました。

　昭和58年（1983年）6月に「国鉄再建監理委員会」が発足し、同年8月に「全国一律運賃制度は早急に是正することとし、例えば大都市圏、新幹線、その他の幹線、地方といった分野に分け、大都市圏は厳しく抑制し、地方は割増を行うなど、原価を十分配慮して格差をつけるべきである。」との第1次緊急提言が出されました。

　当時、国鉄の運賃制度は、
・大都市圏においては大幅にコストを上回る運賃設定が行われ、地方交通線においては逆に大幅にコストを下回る運賃設定が行われ、利用者間に不公平感を抱かせている。
・本来鉄道特性を最も発揮し得る大都市圏において運賃面で競争力を失っている。
・地方交通線については、逆に地方中小私鉄、バスに比べて低運賃である結果、非効率な輸送がそのまま温存されている。
等の問題点が指摘されていました。

再建監理委員会の緊急提言を踏まえ、昭和59年（1984年）4月実施の運賃改定で、それまでの全国一律の運賃体系を見直し、幹線と地方交通線とに分けた運賃制度が初めて導入されました。
　同時に大都市圏の運賃は据え置きすることで抑制を図り、昭和60年（1985年）4月、昭和61年（1986年）9月の運賃改定を経て「幹線運賃」、「地方交通線運賃」、「国電（現在の電車特定区間）運賃」、「東京山手線内・大阪環状線内運賃」の4本立ての体系となり、昭和62年（1987年）4月のJR発足時にJR各社が承継しました。
　ＪＲになって、平成8年（1996年）1月にＪＲ北海道、ＪＲ四国、ＪＲ九州の3社が運賃改定を行うまでは6社共通の運賃体系が続いていましたが、3社の運賃改定によりそれぞれの経営状況を反映した各社独自の運賃レベル（幹線、地交線別の区分は継続）に変更されました。
　一方で、ＪＲ東日本、ＪＲ東海、ＪＲ西日本は消費税改定以外の運賃改定（基本賃率の改定）は行っていないので、基本ベースは国鉄から承継したままとなっています。
　また、ＪＲ会社間をまたがる運賃計算の基準額は本州3社の運賃としており、こちらもＪＲ発足時から変わっていません。運賃改定を実施した会社のアップ分（差額分）は基準額に上積みして計算することで、改定効果を損なわないようにしています
　近年、ＪＲ各社に於いて地方交通線の存続が課題となり、路線別の収支状況が公表されるようになりました。現在のJR東日本の地方交通線運賃の賃率は幹線運賃の賃率の1.1倍でしかありません。前述の「幹線」、「地方交通線」の区分基準を大きく下回る線区が多くあります。持続可能な鉄道事業を実現するためには路線の存廃に関する議論や運賃・料金改定の検討が喫緊の課題となっています。また、鉄道事業を取り巻く環境が変化し、社会や利用者が鉄道事業に求める役割・ニーズが多様化・高度化する中、ＩＴ化による鉄道利用のシステムチェンジが進むと、あらたな環境に適応した運賃・料金体系の構築も求められます。今後は各社の独自性がさらに強くなっていくものと思われます。

Q 46 地方交通線に関連した運賃計算を行う場合、地方交通線の「賃率換算キロ」と幹線の「営業キロ」を合算した「運賃計算キロ」によるとなっているが、どういうことか？

A 旅規第14条の2第2項に『「賃率換算キロ」は、地方交通線の乗車区間の営業キロに、地方交通線の第1地帯賃率を幹線の第1地帯賃率で除した値を乗じて得たもの（小数点以下1位未満四捨五入）とする』と規定しています。

八高線高麗川～北藤岡間（57.3キロ）を例にとりますと、

$$57.3\text{キロ} \times \left(\frac{17円80銭}{16円20銭} = 1.1\right) = 63.0\text{キロ}$$

（分子）— 地交線第1地帯賃率（幹線第1地帯賃率の1割増＝1.1倍）
（分母）— 幹線第1地帯賃率
（右辺）— 小数点第2位四捨五入

というように、地方交通線の当該線区の起点駅からの営業キロに賃率比を乗じたものを「賃率換算キロ」といいます。

地方交通線と幹線とにまたがって乗車する場合、この「賃率換算キロ」と幹線の営業キロとを合算したものを「運賃計算キロ」といい、幹線と地交線またがりの運賃計算のみに使用し、料金計算や有効期間等の算出にも使用する「営業キロ」と区分しています。

〔旅客規則第 14条の2〕

（注）ＪＲ四国及びＪＲ九州内の地方交通線では「賃率換算キロ」ではなく「擬制キロ」といい、地方交通線内相互発着の運賃計算にも使用します。（Q43参照）

〔旅客規則第14条の3〕

Q 47 地方交通線と幹線とにまたがって乗車する際に使用する「運賃計算キロ」は、旅客運賃を算出する場合にのみ使用し、割引乗車券の発売条件や料金の計算、有効期間、途中下車の可否等には使用しないということでいいか？

A そのとおりです。

　もともと「運賃計算キロ」は、賃率を異にする幹線と地方交通線とにまたがって乗車する場合の旅客運賃の計算を容易にすることを主たる目的としており、割引乗車券の発売条件、急行料金等キロを使用して算出する料金、途中下車の可否等の、キロにより決められる効力等には使用しないこととしています。　　　〔旅客規則第14条〕

Q 48 3本建ての運賃体系というが、次の区間の旅客運賃算出方は？

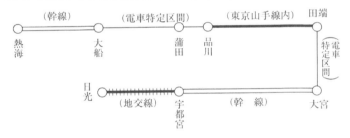

- （1）品川～田端間（東京山手線内相互間）
- （2）蒲田～品川間（電車特定区間）
- （3）大船～品川間（電車特定区間）
- （4）蒲田～田端間（東京山手線内にまたがる電車特定区間）
- （5）熱海～品川間（幹線と電車特定区間とのまたがり）
- （6）宇都宮～日光間（地交線内相互間）
- （7）大宮～日光間（幹線と地交線とのまたがり）
- （8）熱海～日光間（幹線と電車特定区間と東京山手線内と地交線とのまたがり）

A（1）品川〜田端間＝東京山手線内運賃適用

　　　13.9キロ→ 210円（208円）　※鉄道駅バリアフリー料金を含む
（2）蒲田〜品川間＝電車特定区間運賃適用

　　　7.6キロ→ 180円（178円）　※鉄道駅バリアフリー料金を含む
（3）大船〜品川間＝電車特定区間運賃適用

　　　39.7キロ→ 660円（659円）　※鉄道駅バリアフリー料金を含む
（4）蒲田〜田端間＝電車特定区間運賃適用

　　　21.5キロ→ 410円（406円）　※鉄道駅バリアフリー料金を含む
（5）熱海〜品川間＝幹線運賃適用（東京駅から100キロを超えているので東京山手線内制度適用……熱海〜東京間で算出）

　　　104.6キロ→ 1,980円（1,980円）
（6）宇都宮〜日光間＝地交線運賃を適用

　　　40.5キロ→ 770円（770円）
（7）大宮〜日光間＝地方交通線である宇都宮〜日光間の賃率換算キロ（44.6キロ）と幹線区間（大宮〜宇都宮間）の営業キロ（79.2キロ）を加算（44.6 + 79.2 =123.8キロ……これを「運賃計算キロ」といいます）し、これに相当する幹線運賃適用

　　　123.8キロ→ 2,310円（2,310円）
（8）熱海〜日光間＝熱海〜宇都宮間（幹線）の営業キロ（214.1キロ）に、宇都宮〜日光間（地方交通線）賃率換算キロ（44.6キロ）を加算（214.1+ 44.6 = 258.7キロ……運賃計算キロ）し、これに幹線運賃適用

　　　258.7キロ→ 4,510円（4,510円）
（注）（　）内の運賃はSuica等ＩＣカード利用時のＩＣ運賃です。

Q 49　旅客規則第84条第3号の注の意味は？
「（注）幹線と地方交通線を連続して乗車する場合の営業キロが10キロメートルまでの片道普通旅客運賃は、発着区間の運賃計算キロを使用しないで、営業キロを適用して得た額とする。」

A　旅規第84条第3号は、
① 　地方交通線内の営業キロが10キロメートルまでの運賃の場合
のほか、
② 　幹線と地方交通線をまたがって乗車する場合の営業キロが10キロメートルまでの運賃の場合
の両方を定めています。乗車区間によっては地方交通線内相互間よりも幹線＋地方交通線またがりの方が高額になるケースもあるため、この場合には旅規第14条の2の「幹線と地方交通線をまたがって乗車する場合は運賃計算キロに基づく」旨の規定は適用しないこととしていますので、このことを注記したものです。

Q 50　原価、輸送市場の実態等をみれば、旅客運賃に価格差を設けることはやむを得ないと思うが、実務を考えると旅客運賃の算出方が複雑すぎるように思う。例えば賃率を固定しておき営業キロを伸縮させるとかの簡便な方法はとれないか？

A　営業キロを伸縮させる方法をとったとしても、①料金の算出、②割引条件、③有効期間等について、運用方によってはお客さまに不利な場面が生じます。事業者にも、①乗車券の設備（運賃同額区間の異動）、②なんらかの形での伸縮したキロと本来の営業キロとの使い分け、と

いった問題が生じてくることが考えられ、どういう方法にしろ一長一短があろうかと思います。

「旅客運賃＝賃率×営業キロ」（原則）であるので、運賃を改定する場合は、①賃率を変える、②営業キロを変える、③その両方を変える、の３通りの方法があります。

　一般に運賃改定は、①の賃率を変更する方法で行い、②の営業キロは、原則として実測距離によることとしています。

　ただし、幹線と地交線とにまたがって乗車する場合は、地交線の営業キロを幹線対地交線の賃率比（現行1.1倍）で割増し（割増キロを旅客規則上は「賃率換算キロ（又は擬制キロ）」と呼称）、当該割増キロと幹線の営業キロを合計（合計したキロを「運賃計算キロ」といいます）し、これに幹線の運賃表を適用する便法がとられています。

〔3〕普通乗車券関係

> **Q 51** 片道乗車券等は、なぜ折返し又は環状線1周となる駅で打ち切るのか？

A 発売事務の緩和、改札の際に経路等の確認を容易にすること等を配慮して打ち切って計算しています。

〔旅客規則第26条第1号〕

> **Q 52** 下図で、A～B～C～D～Bの片道乗車券の発売はできると思うが、往復乗車券は発売できるのか？
>
>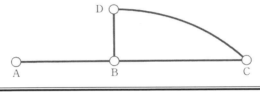

A 運賃計算をする場合、計算経路が環状線一周となるときは、環状線一周となる駅の前後の区間の営業キロ（又は擬制キロ若しくは運賃計算キロ）を打ち切って計算します。したがって、A～B～C～D～B（いわゆる「6」の字）は片道乗車券が発売できます。一方、B～D～C～B～A（いわゆる「9」の字）と乗車する場合にはBで環状線一周となり、B～A間は打ち切って計算しなければならず片道乗車券は発売できません。

往復乗車券は、「往路又は復路とも片道乗車券を発売できる区間であって、往路と復路の区間及び経路が同じ区間を往復1回乗車する場合に発売する。」としていますので、A～B～C～D～B間の往復乗車券は発売できません。

〔旅客規則第68条・第26条〕

> **Q 53 連続乗車券について。**
> **（1）何券片まで発売できるか。券片数制限の理由は？**
> **（2）連続乗車券制度を廃止できないか？**
> **（3）メリットは（有効期間だけか）？**

A（1）一般的な利用実態を踏まえ、2 券片までとしています。それ以上は事務が煩瑣（はんさ）となるので発売しないこととしています。

〔旅客規則第 26 条〕

（2）IC カード乗車券やインターネット商品のご利用状況や発売実態を考慮すると、紙のきっぷならではの効力については一定程度の使命は終えたと考えられます。

（3）次のようなメリットが考えられます。

　　a　有効期間が 2 券片分の合算したものとなります。
　　b　払いもどし手数料が 1 券片分ですみます。
　　c　割引証 1 枚で購入できます。

> **Q 54 学生割引、身体障害者割引（単独）等は、なぜ営業キロ 101 キロ以上から適用するのか？**

A　学生割引制度は、元来、高額となる中・長距離の帰省対応として設定されたもので、その限界を 100 キロとし、100 キロを超える区間に適用することとしているものです。

〔旅客規則第 28 条〕

　身体障害者割引等についても同様に考えており、制度上の整合性をとる見地から片道 100 キロを超える区間としています。

Q 55 中学生から学割証が使えると聞いたが、割引乗車券はいつから購入できるか？

A Q 90 の通学定期乗車券の場合の答と同様に取り扱います。

Q 56 子供の学生割引乗車券は子供運賃の何割引か？

A 小児に対して、学生割引の乗車券は発売しておりません。
　旅規第 92 条（学生割引）に「大人普通旅客運賃の２割を割引する」とし、小児の普通旅客運賃を割引するとはしていません。
（注）団体の場合は、小児に対しても小児運賃を割引した学生団体としての取扱いを行っています。

Q 57 被救護者割引乗車券は、付添人が被救護者を出迎えに行く場合発売可能か？

A 発売できません。送り届けて帰る場合には、付添人は往復、被救護者は往路のみの片道乗車券の発売はできます。
　付添人に往復乗車券を発売することができるのは、往片の発着が被救護者の片道乗車券の発着と同一の場合に限ります。

〔旅客規則第 30 条〕

　被救護者→片道
　付 添 人⇄往復

Q 58 割引の旅客運賃については重複して割引適用はしないというが、学生割引に対しては往復割引を重複して適用するのか？

A 重複して割引適用する旅客規則上の唯一の例外です。往復割引が適用される区間（片道の営業キロが 600 キロを超える区間の往復）についての学生割引の適用方は、

① 往復割引について、往路及び復路ごとに 1 割引（10 円未満のは数は切捨て）する。〔旅客規則第 94 条〕

② ①の往路及び復路ごとの往復割引旅客運賃に対して、さらに往路及び復路ごとに学生割引を適用して 2 割引（10 円未満のは数は切捨て）する。〔旅客規則第 76 条・第 92 条〕

（注）割引の適用順序を誤ると、結果が異なる場合がありますので注意を要します。

Q 59 平成元年（1989 年）4 月の消費税導入に伴う運賃改定、平成 9 年（1997 年）4 月、平成 26 年（2014 年）4 月及び令和元年（2019 年）10 月の消費税率改定に伴う運賃改定で、改定前と運賃が変わっていないところがあったが、消費税の転嫁はどうなっているのか？

A 全ての運賃・料金に消費税は課税されています。例えば、幹線の 1 〜 3 キロは消費税導入後も 140 円で変わりませんでしたが、これについても消費税として 3/103 を含む運賃（改定前に比べて実質的には値下げとも言えますが）とされました。

平成元年（1989 年）の消費税導入の際、運輸省（当時）の指導に基づき、改定（導入）前の運賃に 103/100 を乗じて 10 円未満の

端数を四捨五入し10円単位としたため170円未満は結果として据置きとなったものです。

　平成9年（1997年）4月の消費税率引上げ（3％→5％）に際しては、改定前の運賃・料金に105/103を乗じて10円未満の端数を四捨五入し10円単位としたため、やはり近距離の運賃で据置きになった区間があります。

　平成26年（2014年）4月の消費税率引上げ（5％→8％）では、定期運賃と料金については過去2回と同様に改定前の運賃・料金に108/105を乗じて10円未満の端数を四捨五入し10円単位としましたが、普通運賃については改定前の運賃に5/105を乗じて算出した税額を減額して算出した税抜運賃（基準額）に108/100を乗じることとし、10円単位の運賃だけでの改定をする事業者は10円未満の端数を四捨五入して10円単位に、1円単位（ＩＣ）運賃を導入する事業者の10円単位運賃については10円未満の端数を四捨五入または切上げして10円単位にするという処理をしています。

　令和元年（2019年）10月の消費税率引上げ（8％→10％）については、前回と同様となっています。なお、JR東日本の101キロ以上の普通運賃については、一律、1円単位運賃と10円単位運賃が同額となっていますが、これは101キロ以上の税抜運賃は100円単位となっており、税率10％を乗じても10円単位になることが理由です。

（注）消費税の転嫁方法については、いずれの改定の場合も国（運輸省→国土交通省）から「処理方針」が示され、それに従って運賃改定を実施しています。

〔計算例〕電車特定区間7－10キロ
　○平成9年（1997年）4月改定
　　・改定前運賃　　　160円
　　・改定額算出　　　160×108/105＝164→160円（四捨五入）

○平成 26 年（2014 年）4 月改定
- 改定前運賃　　　160 円
- 税額算出　　　　160 × 5/105 ＝ 7.6 → 7 円（小数点以下切捨て）
- 税抜運賃　　　　160 － 7 ＝ 153 円
- 改定額算出　　　153 × 1.08 ＝ 165 → 170 円（ＩＣ運賃は 165 円）

○令和元年（2019 年）10 月改定
- 改定前運賃　　　170 円
- 税抜運賃　　　　153 円（5 ％当時の税込み税抜運賃が固定される）
- 改定額算出　　　153 × 1.1 ＝ 168 → 170 円（ＩＣ運賃は 168 円）

（注）賃率計算を行う 11 キロ以上の運賃は、税抜運賃に税率を乗じて算出します。

〔例〕幹線 15 キロの運賃（本州 3 社）

　　　幹線 300 キロまでの賃率：1 キロにつき 16 円 20 銭
　　　営業キロ 15 キロの中央キロ：13 キロ（11 〜 15 キロの中央キロ）
　　　税抜運賃：16.2 × 13 ＝ 210.6 → 10 円単位に切り上げ→ 220 円
　　　改定額（税込）：220 × 1.1 ＝ 242 →四捨五入→ 240 円

　　　　　　　　　　　　　　　（ＪＲ東日本のＩＣ運賃は 242 円）

Q 60　平成 26 年（2014 年）4 月の消費税率 8 ％への改定に伴う運賃改定でＪＲ東日本や首都圏の主要な鉄道各社は、きっぷの 10 円単位運賃とＩＣの 1 円単位運賃の 2 つの運賃を導入したが、同じ区間の利用なのに運賃が異なるのはおかしいのではないか？

A 平成 26 年（2014 年）4 月の運賃改定で、ＪＲ東日本や首都圏の主要な鉄道会社（東京都交通局と横浜市交通局は平成 26 年（2014 年）6 月実施）は、Suica や PASMO などＩＣカードで乗車する場合の運賃を 1 円単位とし、きっぷの 10 円単位運賃と別建てとしました。

１円単位（ＩＣ）運賃は、より正確な消費税転嫁という観点と、限られた準備期間でシステム改修を完了させるという観点から導入したものです。

　キャッシュレスで利用可能なＩＣカードであれば現実の利用場面で１円、５円硬貨の必要はありません。税金の転嫁という観点では、１円単位での端数処理をしない（小数点以下は切り捨てとしています）ので、より正確な転嫁と言えます。また１円単位であれば、増税分（新税率／旧税率）に近似した改定率で運賃改定が可能です。

　きっぷの運賃については窓口や券売機での現実的な対応の問題があり従前どおり 10 円単位としています。ＩＣカードときっぷとの運賃の違いは増税分の転嫁に際しての端数の処理方法が違うことにより生じるものですが、首都圏を中心にＩＣカードの利用率が圧倒的に高く、選択性も担保されていることから採用に至りました。

　また、システム改修については、首都圏のＩＣカードシステムは参加各社局の全駅間の運賃計算を共通ソフトで対応しており、改修と検証に長期間を要するというネックがありました。さらに、税率改定が、平成 26 年（2014 年）4 月、平成 27 年（2015 年）10 月と短期間に連続して実施される予定だったため、その対応方を様々検討しましたが、平成 26 年（2014 年）4 月の運賃改定では「税抜運賃（基準額）」という考え方が導入されたことで、「税抜運賃（基準額）×税率」という処理プログラムで対応することにより改定実施日に間に合わせることができました。

> **Q 61** 大人片道普通旅客運賃を算出する場合は、1キロ当たりの幹線賃率（本州＝3社の場合）は、
> 300キロまで　　　1キロにつき　16円20銭
> 301〜600キロ　　1キロにつき　12円85銭
> 601キロ以上　　　1キロにつき　 7円05銭
> となっており〔旅規第77条〕、例えば650キロの場合、
> 600キロまでの運賃 581〜600キロ
> 　　　　　9,460円→税別 8,600円
> 641〜680キロの運賃は660キロ相当で計算するので
> 660－600＝60キロ……60キロ×7.05円＝423円
> 8,600円＋423円＝9,023円
> は数を処理して9,000円、消費税10%込みで9,900円となるはずであるが、運賃表では10,010円となっている。どこが違うか？

A 650キロの場合の算出方
　300キロまで　　　　　　　300キロ×16.20円＝4,860円……A
　301キロ〜600キロまで　　300キロ×12.85円＝3,855円……B
　　☆A＋B＝8,715円………………………………………………C
　601キロを超えた部分（設問と同じ）423円………………D
　　　C＋D＝9,138円（49捨50入）……9,100円
消費税加算
　　9,100円×1.1＝10,010円
　（☆印のところの計算方が違っています。600キロまでの運賃9,460円は、厳密には581キロ〜600キロの中間の590キロ分で計算した運賃）
（注）普通旅客運賃算出の場合のは数の処理（10円単位運賃）
　① 発着区間の営業キロ100キロまで　　　　　10円単位切上げ

70

②　発着区間の営業キロ 101 キロ以上　　49 捨 50 入 100 円単位
③　は数を処理したものに消費税分として 10％加算し、10 円未満のは数を四捨五入し、10 円単位
（これらのは数の処理は、割引旅客運賃又は小児旅客運賃を算出する場合の 10 円未満切捨て（「は数整理」）とは異なります。）

〔旅客規則第 77 条・第 74 条・第 74 条の 2〕

> **Q 62**　割引の乗車券を発売する場合、最低運賃区間も適用するのか？

A 適用します。

　営業キロが 10 キロまでの運賃は、最低限確保すべき収入として、賃率による計算ではなく、発着コスト等を勘案して運賃を設定している区間であるため、割引の対象としていませんでした。しかし、取扱上の簡素化の見地、私鉄との初乗り調整運賃としての考え方等を勘案し、昭和５７年（1982 年）４月の運賃改定時から、割引の対象とすることとしたものです。　　　　　　　〔旅客規則第 74 条の 2〕

　最低の運賃区間は、現行、１～３キロ、４～６キロ、７～10 キロと３区分して運賃を設定していますが、いずれの区間についても割引が適用されます。なお、「最低」が３つあるということはわかりにくいので、平成元年（1989 年）４月から営業規則上は「営業キロが 10 キロメートルまでの片道普通旅客運賃」という表現に改めました。

〔旅客規則第 84 条〕

Q63　運賃設定にキロ刻み（11〜50キロメートル……5キロメートル刻み、51〜100キロメートル……10キロメート刻み等）を設けている理由及びそのメリット、デメリットは？

A 発売額が変わってもキロ区分（乗車券（口座）設備上の収容駅）を一定させるため設けた制度です。

〔旅客規則第77条第2項・第77条の5第2項〕

　メリットとしては、乗車券設備上、区間表示が少なくてすみ（自動券売機等の口座数削減）、運賃改定時等の対応が容易（券売機の口座改修も同様）ですが、反面、乗車区間の途中の駅で分割して乗車券を買う方が、運賃計算に用いる営業キロ合計が短くなることによって、通しの乗車券より安くなることがあるというような問題点もあります。

　なお、昭和59年（1984年）4月の運賃改定時から、幹線と地方交通線との2種類のキロ区分としています。

Q64　（1）3大都市圏で実施している特定駅間の割安な運賃は、特定運賃か割引運賃か？
　　　（2）東京地下鉄等との初乗り調整運賃はどうか？
　　　（3）また、初乗り調整の設定趣旨は？

A（1）特定運賃であって、割引運賃ではありません。したがって、割引の対象となります。　　　　　　　　　　〔旅客規則第79条〕
（2）東京地下鉄及び大手私鉄との初乗り調整運賃は割引運賃として設定されました。このため、さらなる割引（例えば、身体障害者割引）は適用していませんでしたが、令和5年（2023年）3月の障がい者

用ICカードの導入に伴い、IC運賃では身体障害者割引及び知的障害者割引を適用した運賃に対して、初乗り運賃調整を行うこととなりました。　　　　　　　　　　〔連絡規則第22条・連絡基準規程第23条〕
〔東京地区における連絡普通旅客運賃の乗継割引の実施について等〕
（注）福岡市交通局との間で行っている初乗り調整は、特定運賃としています。　　　　　〔福岡市交通局高速鉄道との連絡旅客運賃の特定について〕
　　これは、筑肥線博多～姪浜間廃止に伴う特別措置として実施したものなので、割引旅客（主として身障者、小・中学生の通学のお客さま）の便益を考慮したためです。
(3) 連絡会社線との初乗り運賃の併算による割高感を少しでも解消したいと考えたものです。

> **Q 65　成田～上野間に特定運賃を設定しているが、普通乗車券に比し、定期乗車券の千葉経由はなぜ認められないか？**

A 特定運賃は私鉄との競合区間で実施したものであり、成田～上野間の場合、利用状況、輸送力等を勘案のうえ我孫子経由をとって設定したものです。この区間は、大都市近郊区間内であり、普通乗車券及び普通回数乗車券については、結果的に千葉経由の利用が可能となったもので、定期乗車券については、大都市近郊区間制度の適用外であり、券面指定経路以外は乗車できません。

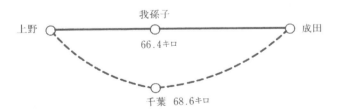

Q 66 『時刻表』の営業案内（いわゆるピンクページ）の「特定区間の運賃表」に「東京〜西船橋間（総武線経由）」とあるのはどういう意味か？

A 私鉄並行区間の特定運賃〔旅規第79条・第99条第3号〕の適用区間については、上野〜成田間が常磐線我孫子経由の運賃であるように、経路が決まっています。

東京〜西船橋間の特定運賃は、設定当初から総武線経由ですが、その後京葉線が開業しましたので、わかりやすくするために入れたものです。

Q 67 特定都区市内制度の適用は、なぜ営業キロ201キロ以上離れた駅とししているのか？
山手線内制度の営業キロ101キロ以上との関連はどうか？

A 特定都区市内制度は、都区内あるいは市内というゾーンを一つの駅と仮定し、中心駅の営業キロを使用して旅客運賃を計算するとしたものですが、ゾーン内の各駅を一つの旅客運賃で扱うため、ある程度の距離以上でないと一般の計算方法により算出した額と比較した場合の差に対する違和感（高い場合も低い場合もありますが）が大きすぎるため、その限界を200キロとしたものです。

東京山手線内の100キロについては、ゾーン範囲が都区内よりも狭いため、都区内ほどの距離は必要ないと判断したものです。

特定都区市内・山手線内制度は、お客さまのわかりやすさ、乗車券の購入の容易さ、乗車券設備の簡素化等、お客さま・JR双方にメリットの多い制度ではありますが、だからといって擬制運賃と実際運賃との差が大きくなり、お客さまに著しく違和感を与えるような営業キロ

とはすべきでないと思います。

> **Q 68** 「横浜市内」に川崎が入っているのに、新川崎、鹿島田等の川崎市内所在駅が入っていないのはなぜか？

A 横浜市内である南武線の矢向駅や鶴見線との関連から川崎駅を横浜市内に付加したものであって、もともと川崎市内をも対象として設定したわけではありません。したがって、駅名を表示する場合には、「横浜市内・川崎・鶴見線内」（マルスで発券するものなどでは単に「横浜市内」とだけ表示）としてます。　〔旅客規則第187条第3号〕

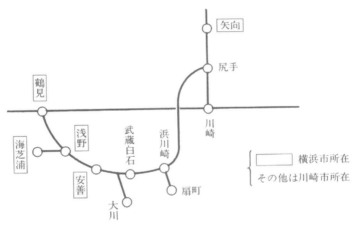

Q 69　旅基第 114 条（特定都区市内等にある駅に関連する普通旅客運賃計算方の特例）の具体例は？

A 旅基第 114 条は、「特定都区市内の中心駅から営業キロ 200 キロメートル以下の区間にある駅までの旅客運賃と、特定都区市内の中心駅から 200 キロメートルを超える駅までの旅客運賃を比較した場合、前者の旅客運賃が高額となるとき」の調整規定です。（山手線内制度の場合も同様。）

　具体例で、広島市内の「井原市」から乗車する場合、
・三石……広島から 200 キロを超える最初の駅。広島市内～三石間、3,740 円。（井原市から乗車可能）
・吉永……広島から吉永まで 200 キロ以下なので市内制度非適用。したがって、本来は井原市～吉永間 236.0 キロ 4,070 円ですが、三石までより高額となるので三石と同額の 3,740 円に調整しています（和気駅についても同様）。

> **Q 70** 旅規第 86 条ただし書（特定都区市内にある駅を発駅又は着駅とする場合で、普通旅客運賃計算経路がその特定都区市内の外を経て再び特定都区市内を通過する場合)の具体例は？

A もともと特定都区市内制度は、一定の条件のもとに特定都区市内にある駅を、「東京都区内」とか「大阪市内」という一つの駅に擬制したものです。したがって、次図の新宿から千葉までの場合、特定都区市内制度適用の条件である中心駅から営業キロ 201 キロ以上を満たしていますので、一般の適用方からすると「都区内発都区内着と小岩発千葉着」の連続乗車券（11,160 円）となります。

しかし、この例のように、都区内で環状線一周とならないため、特定都区市内制度を適用しないで、新宿発千葉着の片道乗車券（11,000 円）とするものです。

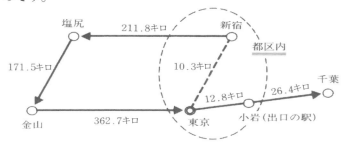

> **Q 71** 「特定都区市内制度」という特例が、更なる特例を付加することにより一層煩雑化している。元々手作業で発券する時代の必要から生まれた制度であり、近年のシステム化の進展や規則の簡素化を考えると既に存在意義が無くなっているのではないか？

A 「特定都区市内制度」は東京都区内など大都市ゾーンを１つの駅と見做して取り扱うもので、ご指摘のとおり手作業発売、手作業で乗り越し精算や乗車券の集札を行っていた時代の要請から生まれた制度といえます。

　発券や精算のシステム化も進んでいますし、東海道・山陽・九州新幹線のエクスプレス予約、スマートＥＸやＪＲ東日本の新幹線ｅチケットなどでは停車駅相互間の乗車券となっています。

　いずれ見直しをするべき制度であると考えますが、現在のシステム自体が「特定都区市内制度」を前提に構築されており、これを見直すには逆に大幅なシステム改修となります。また、お客さまの乗車券購入操作や係員の運用等への影響も大きく、見直しのタイミングや手順については、インターネット商品のご利用状況等を踏まえ、検討する必要があります。

Q 72　（１）横浜から品川に出て、新幹線に乗車して大阪まで行く場合の旅客運賃は？
　　　（２）また、蒲田から品川、新幹線経由で小田原まで行く場合の旅客運賃は？

A（１）　横浜〜品川〜大阪の場合

　品川〜横浜間は、別線扱い区間〔参考欄参照〕ですので、とくにお客さまからの申出がない限り、ａの計算方により片道乗車券を発売するのが通例です。本例の場合は、ｂの計算方による連続乗車券を発売すると運賃の合計額は10円高くなりますが、有効期間は１日多くなります。

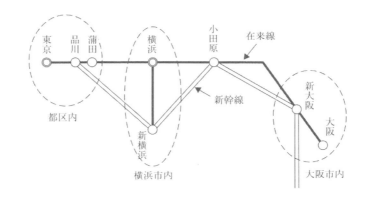

 a 横浜～大阪市内（品川・㋝経由）〔旅客基程第 115 条第 1 項〕
22.0 キロ + 549.6 キロ =571.6 キロ→ 9,130 円（片道乗車券）
 （注）a の場合、横浜駅から 200 キロを超えるが、横浜市内を再び通過するので単駅名表示（Q 70 参照）。
 b 横浜～蒲田
14.4 キロ→ 230 円 ……………┐ ※鉄道駅バリアフリー料金を含む
東京都区内～大阪市内   ├…… 9,140 円（連続乗車券）
556.4 キロ→ 8,910 円 …………┘

（2）蒲田～品川～小田原の場合

 品川～小田原も別線扱いですので、次の計算式による片道乗車券を発売します。

蒲田～小田原（品川・㋝経由）
7.6 キロ + 77.1 キロ＝ 84.7 キロ→ 1,520 円

〔参考〕この設問は、旅規第16条の2に関するもので、わかりにくい条文の一つとされているものです。

（東海道本線（新幹線）、山陽本線（新幹線）、東北本線（新幹線）、高崎線（新幹線）、上越線（新幹線）、信越本線（新幹線）、鹿児島本線（新幹線）及び長崎本線（新幹線）に対する取扱い）

第16条の2　次の各号の左欄に掲げる線区と当該右欄に掲げる線区とは、同一の線路としての取扱いをする。

(1)	東海道本線及び山陽本線中神戸・下関間	東海道本線（新幹線）及び山陽本線（新幹線）中新神戸・新下関間
(2)	東北本線	東北本線（新幹線）
(3)	高崎線、上越線及び信越本線	高崎線（新幹線）、上越線（新幹線）及び信越本線（新幹線）
(4)	鹿児島本線中博多・新八代間及び川内・鹿児島中央間	鹿児島本線（新幹線）中博多・新八代間及び川内・鹿児島中央間
(5)	長崎本線中諫早・長崎間（現川経由）	長崎本線（新幹線）

2　前項の規定にかかわらず、次の各号に掲げる区間内の駅（品川、小田原、三島、静岡、名古屋、米原、新大阪、西明石、福山、三原、広島、徳山、福島、仙台、一ノ関、北上、盛岡、熊谷、高崎、越後湯沢、長岡、新潟、博多、久留米、筑後船小屋及び熊本の各駅を除く。）を発駅若しくは着駅又は接続駅とする場合は、線路が異なるものとして旅客の取扱いをする。

(1) 品　川・小田原間
(2) 三　島・静　岡間
(3) 名古屋・米　原間
(4) 新大阪・西明石間
(5) 福　山・三　原間
(6) 三　原・広　島間
(7) 広　島・徳　山間

(8) 福　島・仙　台間
(9) 仙　台・一ノ関間
(10) 一ノ関・北　上間
(11) 北　上・盛　岡間
(12) 熊　谷・高　崎間
(13) 高　崎・越後湯沢間
(14) 長　岡・新　潟間
(15) 博　多・久留米間
(16) 筑後船小屋・熊　本間

　第1項は、例えば、東海道新幹線が東海道本線（在来線）の複々線化工事として施工されたことにもみられるとおり、常識的な規定です。しかるに、第2項の規定をおいたのは、同項各号の区間内に並行する在来線上にない駅、例えば、第1号の区間には新横浜（新横浜は横浜線の駅ではありますが、並行する東海道本線＝在来線上の駅ではありません）、第3号の区間には岐阜羽島が存するため、これら16区間内の18駅を、並行する在来線上の駅と擬制すると、岐阜羽島～米原～岐阜と乗車する場合、岐阜羽島（岐阜）～米原の往復乗車券となり、同一駅とするには無理があると判断したためです。したがって、これらの駅をはさむ区間については別線扱いとするとともに、同一線としての原則は極力くずさない観点から最小限のものとし、次の例のように運用することとしたものです。

〔例1〕

〔A〕彦根～岐阜羽島～熱田～岐阜～彦根間乗車
　　　⇒彦根～熱田間の往復として計算
〔B〕米原～岐阜羽島～名古屋～岐阜～米原間乗車
　　　⇒米原～名古屋間の往復として計算
〔C〕岐阜羽島～名古屋～岐阜～高山間乗車
　　　⇒岐阜羽島～高山の片道として計算

〔例2〕

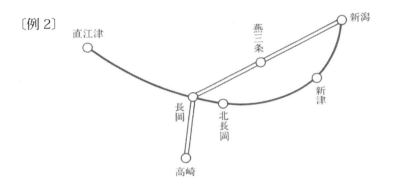

直江津～長岡～新津～新潟～燕三条～長岡～高崎の場合
　　　⇒直江津から北長岡～新津～燕三条間の任意の駅（X）までと、Xから高崎までの連続として計算

(注) 例2の場合、X駅を長岡とすることはできません。長岡とすると、新潟～長岡間は同一線として取扱いするため、当該区間を復乗することになるからです。

　　また、X駅を新潟とした場合も、新幹線を在来線と同一線として扱うこととなります。

Q 73　横浜から品川駅・新幹線経由で、新横浜までの旅客運賃は？

A　横浜〜新横浜（品川・㊩経由）の片道乗車券となります。
22.0キロ＋22.0キロ＝44.0キロ→770円　　　　　　（前問(2)参照）

Q 74　京都から往路は新幹線経由新大阪まで、復路は在来線で帰る場合の旅客運賃は？

A　京都〜新大阪間は、新幹線と在来線を同一線路として取り扱うこととしていますので、京都〜新大阪間の往復乗車券を発売します。したがって、

京都〜新大阪間39.0キロ（旅規別表第2号イの6の特定額570円＋鉄道駅バリアフリー料金10円＝580円）
580円×2＝1,160円

Q 75　小倉〜博多間は、JR西日本の新幹線とJR九州の鹿児島本線（在来線）があるが、取扱いはどうなるのか？

A　JR九州の運賃改定によって、小倉〜博多間は、JR西日本の新幹線経由とJR九州の鹿児島本線（在来線）経由とでは、運賃が異なっています。運賃改定の実効を保つため、別の線路として乗車経路〔旅客規則第16条の3〕による売り分けを行います。

この両方の区間を乗車するときの乗車券を発売する場合の営業キロ等の打切方は、従来の同一線の取扱いのときと同じ取扱いをしています。

また、所持している乗車券と実際乗車する経路が異なる場合には、経路を変更するときと同じ取扱いをします。

この区間を含む場合については、往路と復路の経路が異なっても往

復乗車券を発売します。　〔旅客規則第26条第2号ただし書〕

　小倉〜博多間を新幹線に乗車し、博多から折り返し、鹿児島本線箱崎まで乗車する場合は、連続の1：小倉〜博多間、連続の2：博多〜箱崎間の連続乗車券を発売します。

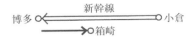

〔参考〕旅客規則第16条の3

（新幹線と新幹線以外の線区の取扱いの特例）

第16条の3　次の左欄に掲げる線区と当該右欄に掲げる線区に関し、第26条第1号ただし書、第2号ただし書及び第3号にそれぞれ規定する普通乗車券の発売、第68条第4項に規定する鉄道の旅客運賃計算上の営業キロ等の計算方並びに第242条第2項に規定する区間変更の取扱いにおける旅客運賃・料金の通算方又は打切方については、前条第1項の規定を準用する。

| 山陽本線中新下関・門司間及び鹿児島本線中門司・博多間 | 山陽本線（新幹線）中新下関・小倉間及び鹿児島本線（新幹線）中小倉・博多間 |

Q 76　次の区間を乗車する場合は、どのように乗車券を発売するのか？

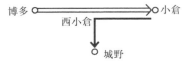

A　小倉〜博多間の新幹線と鹿児島本線の両方にまたがって乗車する場

合は、小倉駅又は博多駅で営業キロを打ち切って計算しますので、設問の場合は、博多～小倉間、小倉～西小倉経由～城野間の連続乗車券を発売します。

　しかし、小倉駅で途中下車しない場合は、営業キロを打ち切らず、博多～小倉～西小倉経由～城野間の片道乗車券を発売します。この場合、小倉～西小倉間の営業キロを差し引いた営業キロにより運賃を算出します。〔旅客基程第43条の2・第116条〕

Q 77　博多から新幹線で岡山へ行き、岡山で在来線特急に乗り継ぎ、米子まで行くときに必要な片道乗車券の旅客運賃は？　また、この場合、岡山で1泊するときはどうか？

A（1）博多（福岡市内）～米子間（倉敷・伯備線経由）の片道乗車券
　　573.7キロ→9,130円（営業キロ：569.3キロ、4日間有効）

　分岐駅通過列車に対する区間外乗車〔旅基第151条〕に関する設問です。区間外乗車の認められる倉敷～岡山間と岡山～倉敷間は、運賃計算に入れる必要はありません。ただし、区間外乗車の区間（中庄駅、庭瀬駅、北長瀬駅、岡山駅）では、途中下車ができません。

（2）　岡山駅で下車する場合は、次のいずれかの方法で計算可能です。
　値段のほか有効期間等の問題もありますので、原則としてお客さまの申出どおり発売することになりますが、とくにお客さまから申出がなく、有効期間に問題ない場合には、低廉な方で計算することが好ましいでしょう。

① 　第1券片　　博多（福岡市内）～岡山
　　　　　　　　446.4キロ→7,480円（営業キロ：442.0キロ）
　　第2券片　　岡山～米子
　　　　　　　　159.1キロ→2,640円
　の連続乗車券（6日間有効）で、10,120円

又は、

② 博多（福岡市内）～米子間（倉敷経由）の片道乗車券
　　573.7 キロ→ 9,130 円（4 日間有効）
　　倉敷～岡山の別途往復
　　15.9 キロ→ 330 円× 2 =660 円
　　との合計で 9,790 円

> **Q 78**　山形新幹線や秋田新幹線、上越線越後湯沢～ガーラ湯沢間、博多南線は、「新幹線」ではないのか？

A 新幹線は、法律（全国新幹線鉄道整備法第 2 条）で、「その主たる区間を列車が 200 キロメートル毎時以上の高速度で走行できる幹線鉄道をいう。」と定めてあります。

　山形新幹線とは奥羽本線福島～新庄間の、秋田新幹線は盛岡～秋田間（田沢湖線、奥羽本線経由）のお客さま案内上の愛称であって、同区間や越後湯沢～ガーラ湯沢間、博多南線は、新幹線車両が乗り入れていますが、「在来線」となっています。

　なお、旅客規則では「新幹線とは、東海道本線（新幹線）、山陽本線（新幹線）、鹿児島本線（新幹線）、東北本線（新幹線）、東北新幹線、高崎線（新幹線）、上越線（新幹線）、信越本線（新幹線）、北陸新幹線、九州新幹線、北海道新幹線、長崎本線（新幹線）及び西九州新幹線をいう。」と定義づけられています。

〔旅客規則第 3 条〕

〔4〕定期乗車券関係

1 一般

Q 79 環状線一周となる場合、定期乗車券は発売可能か。また、その場合の運賃額は？

A 発売は可能です。定期旅客運賃は、乗車区間・経路の営業キロ又は運賃計算キロ（環状線一周であれば、一周の営業キロ又は運賃計算キロ）に相当するものとします。

なお、環状線一周となる定期乗車券については、ＪＲ東日本では、発駅から最遠の駅を着駅として表示し、発着区間を赤枠で囲み、区分表示することとしています。

Q 80　（1）定期乗車券の発売区間を100キロまでを原則とした理由は？
　　　　（2）それ以上最高何キロまで発売するのか？

A（1）所要時間を考慮して通勤・通学の限度を100キロとしたものです。ただし、100キロは表定の定期旅客運賃の設定限度であって、発売は、100キロを超えた距離のものに対しても行っています。
（2）制限はありません。101キロ以上は駅長の承諾があれば発売してよいこととしています。201キロ以上の区間に対して発売する場合は、適宜の様式による「長距離定期乗車券購入申込書」を提出していただくことになっています。

〔旅客規則第37条、旅客規則第97条、旅客基程第54条〕

〔参考〕100キロを超える場合の定期旅客運賃

（例）東京～高崎間（105.0キロ）の大人通勤定期旅客運賃（1ヶ月）

　　　　100キロ大人通勤定期旅客運賃 → 47,510円

　　　　5キロの大人通勤定期旅客運賃 → 5,600円

　　　　47,510円＋5,600円＝53,110円

※ 101キロ以上の定期運賃に鉄道駅バリアフリー料金を加算する場合については、101キロ以上の定期運賃を算出してから、鉄道駅バリアフリー料金を加算しています。

Q81　中間に東京地下鉄をはさんで両端がJRとなる定期乗車券は、1枚で売れるか？

A 連絡規則に定めてある通過連絡の対象区間であれば、発売できます。この場合、前後のJR区間の営業キロ又は運賃計算キロは通算し、通算したキロに対する定期旅客運賃がJR区間の運賃となります。

〔連絡規則第14条（別表）〕

（注）東京地下鉄の区間が同じでも連絡運輸の取扱いをするJRの区間には制限があり、発駅又は着駅が異なれば、1枚の定期券では発売できない場合があります。

〔例〕

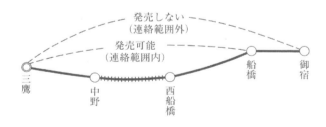

Q82　定期乗車券の新規・継続発売を14日前に制限している理由は？

A 定期券購入時におけるお客さまの利便及び切替時の発売事務輻輳(ふくそう)を平均化する期間として、経験的に2週間としたものです。

〔旅客基程第28条第1項第2号ア〕

> **Q 83** （1）2、4、5ヵ月等、1年以内ならすべての月数に対応する定期乗車券はつくれないのか？
> （2）また、学校の始業日から終了日まで（例えば4月8日〜7月19日）とか、1週間定期乗車券とか、10日間定期乗車券はないのか？

A （1）現在の定期乗車券は、1、3、6ヵ月（特別車両定期乗車券は、1、3ヵ月）のものが設定してあり、組み合わせればすべての月数に対応が可能です。2、4、5ヵ月用等を設定することは、発売数量に比し、むしろ手数増の要素が強いと考えています。

ただし北海道地方の学校のように、夏休みが短く冬休みが長いという事情のあるところでは、2学期に4ヵ月定期券、3学期は2ヵ月定期券の需要が見込まれるので、JR北海道では、平成8年（1996年）1月運賃改定時に、通学定期に限り、2ヵ月と4ヵ月の通学定期旅客運賃を設定しました。また、過去国鉄時代には、6ヵ月＋6ヵ月の12ヵ月定期乗車券を発売したこともあります。また、平成30年（2018年）3月より、定期券うりばなどの混雑緩和等を目的に、東急線限定の「東急線いちねん定期（地方運輸局長認可）」が発売されています。
（注）JR北海道の2ヵ月、4ヵ月の通学定期は平成27年（2015年）3月31日限りで発売終了。
（2）設定していません。定期乗車券は、普通乗車券、普通回数乗車券以上の利用頻度のお客さまを対象とし、月単位の設定となっています。JR東日本では、リピートポイントサービスなど新たなサービスも行われています。

なお、一括発売する定期乗車券は、有効期間を調整するため、日割で付加して、1ヵ月＋10日といった発売をしています。

> **Q 84　定期乗車券の割引率の法的制約はあるのか？
> 　　　また、私鉄はどうか？**

A 国鉄時代は国有鉄道運賃法第5条により、通勤・通学定期券について、1、3ヵ月は50％、6ヵ月は60％の割引率が下限とされていましたが、現在は法的な制約はありません。

現在は、ＪＲ・私鉄とも同様に「鉄道事業法」の規制下（認可）にありますが、もともと私鉄は国有鉄道運賃法のような割引率についての法的制約は過去にもありません。

> **Q 85　定期旅客運賃は表定されているが、その算出方はどうなっているのか？**

A（1）基本の算出方
① Ｘキロの1ヵ月の定期旅客運賃（＝A）
　＝Ｘキロの普通旅客運賃×30日×2（回／日）×（1－割引率）
② Ｘキロの3ヵ月の定期旅客運賃＝A×3ヵ月×（1－0.05）
③ Ｘキロの6ヵ月の定期旅客運賃＝A×6ヵ月×（1－0.1）

（注）ＪＲ北海道が設定した2ヵ月通学定期旅客運賃は、1ヵ月通学定期旅客運賃を2倍した額から3％割引し、4ヵ月通学定期旅客運賃は、1ヵ月通学定期旅客運賃を4倍した額から7％割り引くことを基本としていました。また東急線いちねん定期は1ヵ月通学定期旅客運賃を12倍した額から10％割り引くこととしています。（Q83参照）

(2) 調整
 a 割引率は、通常、距離が長くなるにつれて逓増されています。
 b ①で算出した運賃が法定限度額（前問参照）を超える場合は、法定限度額以内としていました。
（注）現在の定期旅客運賃には法定限度額はありませんが、ＪＲ東日本、ＪＲ東海、ＪＲ西日本の３社は、現在までのところ国鉄時代のものをほぼそのまま受け継ぎ、これに消費税相当額を加算したものとしています。

2　通勤定期乗車券

Q86　通勤目的以外でも購入可能なのだから「通勤定期乗車券」という名称は不適当ではないか？

A　利用の主体は通勤のお客さまであり、また、周知度等からして、名称そのものが不適当として変える必要はないと思います。

〔旅客規則第35条〕

Q87　定期券は、なぜ記名式なのか。通学は別にして、通勤は無記名でもよいのではないか？

A　乗車券類は使用開始後の譲渡を禁止しており〔旅規第167条等〕、また、定期券については高率の割引を行っていることなどを勘案して、使用者を特定する制度としています。

　持参人式の定期券をつくるとすれば、利用頻度・区間等を考慮し、現行の定期券制度とは異なった発想が必要と思いますが、いずれにしろ個人（記名式）のものより利用頻度は向上するでしょうから、その場合は、割引率を抑えた発売額にならざるを得ないでしょう。

Q88　通勤定期乗車券は、50～60％もの割引をしているのに、なぜ通勤先の証明書を必要としないのか？

A 復活するとした場合、証明書がもらいにくいお客さまが多々生じ、また、代替として特別の回数券等の救済措置をとったとしてもなかなか納得されにくいのではないかと考えています。

（注）通勤証明書は、昭和41（1966年）年3月の運賃改定時、普通定期券制度を通勤定期券制度に包含した際廃止し、その後、昭和43年（1968年）の定期旅客運賃の改定時に復活の兆(きざ)しはあったものの実施にいたらず、今日にいたっているものです。

3　通学定期乗車券

Q89　JRでは通学定期乗車券の発売対象を学校教育法令に基づく学校に限定しているが、その理由は？

A JRが独自に学校の定義を定め、多種多様な教育機関・施設について、その教育内容等から個別に「学校」であるか否かを判断することは、審査能力等の技術的問題や公平性、妥当性の維持という点から困難であるため、公の基準として学校教育法令をよりどころとしているものです。

Q90　中学校に通うのだが、入学式の前に通学定期乗車券が購入できるか？

A 入学式の前であっても、本人が中学校への入学手続きを完了し、学校の代表者から証明書（生徒証）及び通学証明書の交付又は通学定期

乗車券購入兼用の証明書（生徒証）の交付を受ければ、学年の始期（学年の始まる月の初日）以前であっても購入できます。この場合、通学証明書には学年の始期を発行者において赤書きすることにしています。なお、通学定期乗車券の有効開始日は、学年の始期以降であることはいうまでもありません。
〔学校指定取扱規則第15条第8項・第19条第4項、旅客基程第53条〕

Q 91　実習用通学定期乗車券は、クラブ活動の場合発売可能か？

A 正規のカリキュラムになっていないクラブ活動の場合（通例このケースが多い）は不可ですが、通常の教育として正規のカリキュラムに含まれ、履修単位となり、学校所属のグランド等に通う場合であって、ＪＲ各社の承諾を得れば発売できます。

〔学校指定取扱規則第17条〕

Q 92　通学定期乗車券を在日外国人の生徒に発売できるか？また、留学生はどうか？

A 在日外国人であっても、指定学校の学生・生徒であれば発売できます。留学生についても、指定学校の学生・生徒として「通常の教育課程を行う部科」に在籍し、学則に定めるところによりカリキュラムを履修している留学生（学生証が発行されている必要があります）については一般の学生と同様の取扱いとなります。

Q 93　通学定期券購入兼用証明書（学生証）は、大学以外の学生・生徒には使用できないのか？

A 使用できます。

以前は小・中・高生等に対する割引の通学定期乗車券は、控除証票としての通学証明書がないと発売しませんでしたが、平成6年（1994年）4月1日から通学定期券購入兼用証明書により割引の通学定期乗車券を発売することにしました。〔旅客規則第38条〕

Q 94　高等専門学校の学生に対する通学定期乗車券の割引はどうなるのか？

A　1～3年生までは高校生と同様に1割引、4年生以上は無割引（大学生と同じ運賃）で発売します。〔旅客規則第36条・第38条〕

Q 95　高校の専攻科・別科の生徒に対する通学定期乗車券の発売はどうなるのか？

A　学校教育法では、高校の専攻科は、高校又はこれに準ずる学校を卒業した者等に対し、精深な程度において特別の事項を教授し、その研究を指導することを目的とし、修業年限は1年以上〔学校教育法第58条第2項〕、別科は、中学校又はこれに準ずる学校を卒業した者等に対し、簡易な程度において特別の技能教育を施すことを目的とし、修業年限は1年以上〔同法同条第3項〕とされています。

　これらは、学校教育法第91条に規定する大学の専攻科・別科と同様に学校指定規則第2条第2項第1号にいう「通常の教育課程を行う部科」に該当するものとみなされます。したがって、大学・高校とも専攻科・別科の生徒を通学定期の対象として発売できます。

〔参考〕

学　　校	通常の教育を行う部科（法：学校教育法）
中等教育学校	前期課程・後期課程（法第66条）
高　等　学　校	全日制・定時制課程(法第53条)、通信制課程(法第54条)、別科、専攻科（法第58条）
高等専門学校	学科（法第116条）、専攻科（法第119条）
大　　　　学	学部（法第85条）、専攻科・別科（法第91条）
大　　学　　院	研究科（法第100条）

Q 96　（1）通学定期乗車券の分割買いは可能か？
　　　　（2）2つの学校に通う場合、通学定期乗車券と通学定期乗車券の併用使用は可能か？

A　（1）通学定期乗車券は、居住地もより駅と指定学校もより駅との相互間が発売区間となります〔旅規第36条〕ので、お客さまの任意により区間を分割することはできません。

（2）2つの指定学校に通う場合には、2つの区間に分けた通学定期乗車券の利用があり得ます。

　①及び②とも、全区間通して1枚の通学定期乗車券か、それぞれの区間ごとに区分した2枚の通学定期乗車券のどちらも発売できます。

Q 97　4月は窓口が混雑するが、通学定期券の発売にあたりもっと簡素化できないのか？

A　令和6年（2024年）4月から、卒業予定年月日が証明された通学証明書や通学定期乗車券購入兼用証明書を窓口にお持ちいただければ、その後は、卒業まで係員による通学証明書等の確認を省略できる取扱いを開始しました。JR東日本では、券売機やモバイルSuicaにて通学定期券を卒業予定年月まで継続購入できます。

4　その他

Q 98　大人特殊均一定期券の発売額が14,970円なのはどのような計算方法か？

A　いわゆる「山手線」一周の営業キロ（34.5キロ）にあわせ35キロ分の通勤定期旅客運賃としていましたが、昭和59年（1984年）4月運賃改定時、山手線内の旅客運賃据置きに伴い改定前の35キロ分（13,200円）に特定し、平成元年（1989年）4月、平成9年（1997年）4月、平成26年（2014年）4月及び令和元年（2019年）10月の消費税導入（税率改定）による価格見直し、令和5年（2023年）3月のオフピーク定期券導入時の運賃改定を経て現在の運賃となっています。

〔旅客規則第95条第4号〕

〔参考〕運賃の推移

　　　昭和62年（1987年）4月　　ＪＲ発足時　　　　　13,200円
　　　平成元年（1989年）4月　　消費税導入（3％）　　13,600円
　　　平成9年（1997年）4月　　消費税改定（5％）　　13,860円
　　　平成26年（2014年）4月　　消費税改定（8％）　　14,220円

令和元年（2019年）10月　消費税改定（10％）14,490円
令和5年（2023年）3月　オフピーク定期券導入時の運賃改定
　　　　　　　　　　　　及び鉄道駅バリアフリー料金設定　14,970円

定期乗車券の歴史

　定期乗車券制度の構想は鉄道草創時からあり、鉄道開業直後から井上勝（初代鉄道頭）は「上等常乗切手」、「期限切手」という名称で定期乗車券の原型となるものの発売を検討しましたが直ぐには実現に至りませんでした。その後、鉄道局長となった井上は明治18年（1885年）に至り、「定期乗車券発行規約案」を添えて定期乗車券の発売について工部卿に伺い出て、ようやく承認を得て翌年1月1日から新橋・横浜間で上等および中等旅客に対し、有効期間1ヶ月、3ヶ月、6ヶ月および12ヶ月の定期乗車券の発売を開始しました。関西地区（大津・神戸間）でも明治21年（1888年）5月から京浜地区と同条件で定期乗車券の発売を開始しました。当初は上等および中等の優等旅客の利用拡大を図るために発売されたものでしたが、その後、発売区間や発売対象が学生（通学定期乗車券）、職工等（職工定期乗車券）に拡張されていきました。

　時代背景や社会情勢（太平洋戦争中の戦時統制なども含め）により定期乗車券制度も変化してきました。現在は「通勤定期乗車券」と「通学定期乗車券」に大別されますが、昭和28年（1953年）1月の改正で「普通定期乗車券」が設定され、「通勤定期乗車券」については、購入に際し事業所等の代表者が発行する「通勤証明書」の提出が必要でした。この制度は昭和41年（1966年）3月の改正で、定期乗車券制度の簡易化の見地から普通定期乗車券が廃止され従来の3本立てから「通勤定期乗車券」と「通学定期乗車券」の2本立てになり、その際に「通勤証明書」は廃止されました。

　通勤定期乗車券に統一されましたが、用途は通勤に限定されるものではなく使用対象者の制限はありません。一方、通学定期乗車券は使用を通学に限定し発売対象者を指定学校の学生、生徒、児童に限っています。

　なお、普通定期乗車券の廃止に伴って、「均一普通定期乗車券」（昭和28年（1953年）1月に東京山手線内に1ヶ月間有効な定期乗車券として設定）を「特殊均一定期乗車券」に改称し東京電車環状線（山手線）の外周距離（営業キロ35キロ）に相当する通勤定期旅客運賃を適用することになりまし

た。現在も「特殊均一定期乗車券」（通称「山手線内均一定期券」）の名称で1ヶ月有効で発売額 14,970 円で発売が継続しています。この定期乗車券の最大のメリットはエリア内乗降フリーという使い勝手の良さにあります。

　昭和 44 年（1969 年）5 月に廃止されるまで国鉄の車両には等級制があり、それぞれの等級毎に適用する運賃・料金が設定されていました。等級制の廃止に伴い 1 等通勤定期乗車券も廃止されましたが、東海道線や横須賀線などにはこれまでの 1 等車に代わり特別車両（グリーン車）が導入され、普通列車のグリーン車を常時利用するための特別車両定期乗車券（グリーン定期乗車券）が設定されました。

　なお、普通列車のグリーン車には特別車両定期乗車券以外の定期乗車券では乗車することは出来ませんでしたが、ＪＲ東日本では「グリーン車 Suica システム」の導入に合わせて平成 16 年（2004）10 月通勤定期乗車券、通学定期乗車券でもグリーン券を購入すれば乗車できるように改正しました。

　また、定期乗車券では特急（新幹線含む）や急行列車への乗車も出来ませんでしたが、昭和 47 年（1972 年）10 月から一部の普通急行で、昭和 55 年（1980 年）4 月から東海道・山陽新幹線で、同年 10 月からは一部の在来線特急列車で、定期乗車券と特急券、急行券との併用により自由席に限って乗車が出来るようになりました。その背景には、昭和 47 年（1972 年）に登場し、その後昭和 53 年（1978 年）10 月ダイヤ改正を経て拡充していったＬ特急群や新幹線の輸送力活用という国鉄の目論みと速達性・快適性を求める利用者ニーズに応える観点からの方針転換でした。

　その後ＪＲになってからも通勤・通学での利用を前提とした特急列車の設定が行われており、従来は自由席利用に限って乗車できることとしていましたが、最近では着席サービスを確約する全車指定席の列車に定期乗車券で利用できるようになっています。

　新幹線では昭和 58 年（1983 年）2 月から定期運賃と特急料金がセットになった新幹線定期券（フレックス、フレックス・パル）も特別企画乗車券として発売が開始され現在に至っています。

　最新の発売区間、発売額はＪＲ時刻表等で確認してください。

国鉄・ＪＲ定期旅客運賃に関わる政策的規制の呪縛

　昭和23年（1948年）に国有鉄道運賃法が施行され定期運賃は運輸大臣が定める（翌年6月公共企業体としての国鉄が発足後は国鉄が定め運輸大臣が認可する）こととなりました。

　同法では、①通用期間1ヶ月または3ヶ月の定期旅客運賃は、普通旅客運賃の100分の50に相当する額をこえることができない。（50%以上の割引）②通用期間6ヶ月の定期旅客運賃は、普通旅客運賃の100分の40に相当する額をこえることができない（60%以上の割引）」（これを「法定割引限度」と呼んでいました。）と定められました。

　この規定は国鉄がＪＲになるまで適用されていたため、国鉄の定期旅客運賃を承継し、これまで本格的な運賃改定を行っていないＪＲ東日本、ＪＲ東海、ＪＲ西日本の定期旅客運賃は（消費税相当額の改定はしていますが）未だに旧法の適用下で設定された運賃のままだということになります。

　また、ＪＲには「小児通勤定期旅客運賃の特定額」という運賃が設定されていましたが、これは、「法定割引限度」が、大人・小児それぞれの運賃に対して適用されるとされ、通勤定期の場合、単純に小児は大人の通勤定期運賃の半額とすると、割引率が法定限度いっぱいの50%ないし60%の区間で、かつ、大人片道運賃の10位が奇数の区間では、小児運賃が10円未満切り捨てのため、割引率が法の定めを満たさなくなることから、50%（ないし60%）の割引となるような特定額としていました。昭和62年（1987年）4月のＪＲ発足に際してＪＲ各社はこの特定額を承継しました。

　平成元年（1989年）4月の消費税導入の際の運賃改定時には既に法定限度の制約はなかったのですが、消費税転嫁以外の運賃変更は許されなかったことから従来の運賃に消費税（3%）を加算したのみで、大人通勤定期運賃の半額とするような改正は行われず特定額として存置されました。その後の平成9年（1997年）4月及び平成26年（2014年）4月の消費税率引き上げに伴う運賃改定も同様の対応を行ってきましたが、令和元年（2019年）10月1日の消費税率改定に伴う運賃改定時に特定額を廃止し、現在は、旅客営業規則第74条（小児の旅客運賃・料金）に規定されている「小児の定期旅客運賃は、大人の定期旅客運賃を折半し、10円未満の端数を切り捨てて10円単位とした額」という原則どおりの運賃になっています。なお、ＪＲ北海道、ＪＲ四国及びＪＲ九州の3社は既に平成8年（1996年）1月10日実施の運賃改定で、小児通勤定期運賃の表定を廃止し、小児運賃計算の原則どおり大人通勤定期運賃の半額（10円未満の端数切り捨て）としま

した。(ただし、ＪＲ九州では、幹線内相互、地交線内相互、幹線と地交線とのまたがり乗車の場合に、一部区間に特定額を設定しています)。

　もう一つ国鉄時代の定期旅客運賃に対する規制の名残として、ＪＲでは特定者用の通勤定期乗車券および通学定期乗車券うち高校生用（大人通学定期運賃（大学生用）の１割引）、中学生用（大人通学定期運賃（大学生用）の３割引）、小学生（大人通学定期運賃（大学生用）の半額の３割引）の割引定期乗車券を発売していますが、こちらは昭和43年（1968年）４月の定期旅客運賃の引き上げを行った際に、当時の運輸大臣の認可附帯事項として割引の指示があったことが始まりで、こちらも現在まで継続しています。

〔5〕普通回数乗車券

Q 99　普通回数乗車券はまだ発売しているのか？

A　JR各社では令和4年（2022年）6月以降、順次普通回数乗車券の発売を取りやめましたが、身体障害者割引、知的障害者割引および通学用割引の回数乗車券は発売しています。これは社会政策的な位置づけにより設定された趣旨を配慮してのことと考えらえますが、一部の鉄道事業者では全廃されている場合もあります。

Q 100　なぜ普通回数乗車券は発売をやめたのか？

A　各鉄道事業者はコロナ禍にご利用が大きく減少している中、収益力の向上を図る必要があり、単価上昇やコスト削減等の観点から普通回数乗車券の発売を取りやめました。また、鉄道各社はこれまでもお客さまの利便性向上やSDGs等の観点からICカードを始めとしたチケットレスを推進してきており、ICカードの利用拡大に伴い長期的に回数券のご利用が減少してきていることも理由に挙げられると考えられます。

Q 101　通学用割引普通回数乗車券の有効期間を6ヵ月としているのはなぜか？

A　発売をやめた普通回数乗車券の有効期間は3ヶ月でしたが、使用者が放送大学の学生及び通信教育を行う高等学校の生徒に限られること、旅客運賃割引証の提出並びに証明書の携行等の義務があり、有効期間を長くしても別段支障がなく、また、使用者の利便を考えて判断したものです。

Q 102　大学の通信学部の学生に対して通学用割引普通回数乗車券を発売することはできるか？

A できません。通学用割引普通回数乗車券は、放送大学の学生と通信教育を行う高等学校の生徒が、学校学生生徒旅客運賃割引証を提出した場合に限り発売します。

回数乗車券の歴史

　現在の旅客営業規則には乗車券の種類に普通乗車券、定期乗車券、普通回数乗車券がありますが、このうち、普通回数乗車券については特例的なものを除いて規定から削除されています。

　乗車券にはそれぞれの用途があり、回数乗車券は同一発着区間を定期乗車券程の頻度ではないが一定期間内に複数回乗車、または複数人で同時乗車をするような場合に些少の割引で発売されてきました。かつては回数乗車券にも幾つかの券種がありましたが、消えゆく回数乗車券の変遷について記録として書き残すことにします。

　回数乗車券の始まりは、明治33年（1900年）11月に遡ります。最初に発売された回数乗車券は、特定の17区間で「1、2、3等・無記名式・50券片・2割引・通用90日」だったという記録がありますが、当初使用人員を制限しなかったため単なる割引となり不都合なことも起こり、記名式にしたり券片数を減らしたり割引率の見直しなどを行ったようです。

　その後、明治、大正、昭和、平成と時代を経る中で、その発売条件等は、社会情勢、輸送事情、運賃政策等の見地からしばしば改正されてきました。

　当初、特定の区間に限られていた発売区間が大正2年（1913年）10月には各駅相互間に拡大されています。

　昭和になると、数次にわたる運賃改定の結果、定期旅客運賃の割引が強くなり、回数券旅客が定期券旅客にシフトする傾向になったので、券片数を減らし昭和5年（1930年）4月では「2、3等・記名式・16券片（1～2割引）・通用3ヶ月」になりました。

その後、券片数、通用（有効）期間、運賃（発売額）等は時代により様々な変遷をたどっていますが、普通回数乗車券が「11券片で10券片（当該発着区間の普通旅客運賃×10）分の運賃・通用（有効）期間3ヶ月」となったのは昭和42年（1967年）3月の回数乗車券制度の改正からです。

昭和44年（1969年）5月の等級制廃止により旧2等普通回数乗車券は普通回数乗車券と改称し、さらに同年7月に「特別車両普通回数乗車券（グリーン回数券）」（11券片・通用（有効）1ヶ月）の設定に際して、普通回数乗車券は「一般普通回数乗車券」に改称されました。

特別車両普通回数乗車券は、昭和56年（1981年）4月の改正で6券片制になり、普通運賃・特別車両料金を6倍した額から1割を差し引き100円未満の端数を切り捨てた額となりました。

均一回数乗車券は戦後間もない昭和21年（1946年）3月に東京電車環状線均一回数券（15券片、通用3ヶ月）と東京都区内均一回数券（10券片、通用3ヶ月）の2券種が設定され、翌年7月には大阪市内均一回数乗車券（10券片、通用3ヶ月）も設定されましたが、こちらは昭和26年（1951年）11月には廃止となっています。

その後運賃改定等の都度しばしば券片数や発売額は変更されましたが、これも昭和42年（1967年）3月の制度改正で普通回数乗車券と同様の11券片、基準区間の普通旅客運賃×10券片分の運賃、通用3ヶ月となって以降は、運賃改定による発売額の改定以外は平成12年（2000年）2月の廃止まで変わりませんでした。

乗車券と急行券・特急券がセットになった急行回数乗車券は、昭和41年（1966年）3月に設定された新幹線こだま号（2等車）自由席利用旅客を対象にした自由席特急回数乗車券（10券片。運賃1割引、通用2ヶ月）が始まりで、これも昭和42年（1967年）3月の回数乗車券制度の改正で11券片、（10券片分の運賃・料金）、通用3ヶ月に改正されています。また、同年8月には、急行列車の利用促進を図るため在来線にも急行回数乗車券が設定されました。東海道新幹線の輸送力増強により自由席特急回数券は停車駅相互間に設定され特別車両特急回数乗車券も停車駅相互間に設定されています。さらにL特急群の誕生を背景に自由席特急回数乗車券の発売が在来線にも拡大されました。

また、利便性の向上や販売促進等を目的に有効期間を3ヶ月とし、6券片でも発売が出来るように改正されました。旅客営業規則には、11券片の自由席特急回数乗車券と普通急行回数乗車券を規定し、別の券片数の発売もできることとしていましたが、実際には、6券片の自由席特急回数乗車

券と特別企画乗車券として通達で定めた6券片の指定席特急回数乗車券が設定されていました。発売区間や取扱方、発売額などについて、自由席特急回数乗車券と指定席特急回数乗車券とでバランスがとれるように特別企画乗車券として通達で定めることとし、平成4年（1992年）9月に急行回数乗車券を旅客営業規則からはずしました。現在JR各社で設定している回数券タイプの企画乗車券は、名称、券片数も様々となっています。

　回数乗車券の使用については複数人での同時使用は可能でしたが、表紙と切り離しての使用は不可（表紙を伴っていないと無効）としていました。その中で、急行回数乗車券については、利用実態や使い易さ等を考慮して昭和47年（1972年）10月に切り離し使用を可能としています。ただし、それ以外の回数乗車券については引き続き切り離し使用は不可としていましたが、JRになってから利用者の利便性や自動券売機での発売に切り替えるようになったこともあり、昭和63年（1988年）10月からは1枚ずつ切り離しての利用を可能としました。

　東京山手線内均一（東京電車環状線内均一回数乗車券から改称）や東京都区内均一回数乗車券は、エリア内のいずれの区間でも使えると言う利便性と山手線内、東京都区内相互発着となる回数乗車券口座の削減効果がありました。特別車両普通回数乗車券は高頻度でグリーン車を利用する顧客向けサービスという意味もあったと思います。急行回数券はビジネス利用者の利便性向上と割引による特急・急行列車の利用促進という狙いがありました。

　様々な回数乗車券がありましたが、最後まで残っていた普通回数乗車券も令和4年（2022年）までに通学用割引普通回数乗車券を除いてすべてのJRで廃止されています。

　この背景は、回数乗車券の発売が紙きっぷ（窓口発売）の時代が続きアナログきっぷの典型で、出改札業務の自動化、システム化のネックになったということです。

　自動改札機の展開に備えて券売機等による機器発売にシフトしましたが、口座数の制約や価格改定時等の口座改修・管理の負担、窓口での発売体制の維持（機器発売となっても必要）など負担が大きいことから、ICカード乗車券やデジタルチケット化を進める中で次第に整理することになりました。

　もし今後、回数券タイプの割引乗車券が必要な場合には、いつでも企画乗車券として設定することが出来ますので、その時々の状況やニーズを踏まえて対応することが合理的だと思います。

〔6〕団体乗車券

> **Q 103** 団体旅客運賃は、1人当たり無割引額の総額から割引額を差し引いて算出するとしているが、行程が連続していない場合でもいいのか？

A 1個の団体として引き受けたものであれば、行程が連続している必要はありません。

行程中の途中にバスが介在したり、往路の着駅と復路の発駅が異なるような例のことと思いますが、この場合、1人当たりの無割引の運賃を算出する場合は打ち切って計算します。なお、一部区間不乗の承諾をした場合で、その区間の旅客運賃を支払うときは通算します。

打切区間ごとに普通運賃を算出し、それらを合算して全行程に対する1名当たりの合計額に対して割引を適用します。

〔旅客規則第117条〕

> **Q 104** 小児の団体旅客運賃は、大人の団体旅客運賃の半額（10円未満のは数切捨て）でいいのか？

A 違います。

小児の団体旅客運賃は、無割引の小児の普通旅客運賃（打切区間ごとに大人の無割引の旅客運賃を折半し、10円未満のは数切捨て）から割引額を差し引いたものです。したがって、設問の方法に比し10円未満のは数処理に差異が生じる場合があり、結果が異なる（間違い）ことがあります。

〔旅客規則第112条第1項第2号〕

Q 105　訪日観光客7人と国内の旅行業者の添乗員1人の計8人の場合、訪日観光団体としての取扱いは可能か？

A　訪日観光団体としての取扱いはできません。
　訪日観光団体の発売条件は「訪日観光客8人以上又はこれと同行する旅行業者」としており〔旅規第43条第1項第2号〕、最低構成人員8人には、旅行業者（ガイドを含む）は含まれません。
（注）学生団体についても「学校等の学生等が8人以上とその付添人、当該学校等の教職員」と規定しており〔旅規第43条第1項第1号〕、先生等を含まない学生等が8人以上（へき地学校等の例外は除いて）と先生等とで構成することになっています。

Q 106　団体乗車券に含まれる料金券部分の性格は何か？

A　料金券部分は、各々の乗車券類固有の性格を持つと考えるべきです。例えば「団体旅客に対する急行券は、団体乗車券によって発売する」〔旅規第57条第3項〕としています。
　ただし、払いもどし手数料は、指定券以外については団券1枚分とする〔旅規第273条の2〕、効力は普通急行列車の自由席であっても特定の列車のみ有効とするなど、団体固有の例外的性格もあわせ保持しています。

Q 107　団体旅客に対し特急・急行料金等の料金割引は考えられないか？

A　一般団体についての料金割引は無差別に実施したとしても営業的にプラスになるとは思えませんが、㈲団体（特別の運送条件を定め、旅

客運賃及び料金の割引その他について特殊取扱いを行う団体をいいます〔団体基程第2条第15号・第41条〕)、新幹線集約臨時列車利用の学生団体等については料金割引をしている例もあり、料金割引については、鉄道の利用促進につながることを前提に営業的観点で個別に対処していくべきだと思います。

Q 108 団体割引率10～15％は、企画型の乗車券に比し低すぎるのでは。例えば、団体人員により割引率を引き上げるべきではないか？

A 他の私鉄、航空機の例からみても、一律に適用される基本的な割引率としては常識的なものと思われます。

　基本の割引率以上に割り引く場合は、季節、線区、列車等別に必要度を勘案し、㋕制度など、他の団体取扱いの定めを適用すれば足りると思います。

Q 109 団体割引で第2行程が閑散期割引（15％）が適用される場合、全区間閑散期の割引率を適用可能か？

A 行程中の列車等の乗車駅における乗車日のいずれかが第2期（閑散期）である場合は、全行程について、お客さまに有利な閑散期の割引率を適用します。　　　　　　　　　〔旅客規則第111条第1項第2号〕

（注）団体の第2期（閑散期）

　次の期間を除いた日（指定席特急券、座席指定券に適用する閑散期とは異なっています。）

- 12月21日～1月10日
- 3月1日～5月31日
- 7月1日～8月31日

・10月1日〜10月31日

> **Q 110** 団体の無賃扱人員について。
> （1）料金も無料となるのか。無料となるとしたら、寝台料金のように同じＢネでも寝台の段別で料金に差があるものはどうするのか。大人と小児が混乗している場合はどうか？
> （2）団体に個人割引旅客（身体障害者等）を付加している場合、無賃扱人員の算出は当該割引旅客を含めたものとするのか？
> （3）団体に個人無割引旅客を付加している場合はどうか？
> （4）学生団体には、無賃扱人員の適用はないのか？

A（1）料金も無料となります。それぞれの料金種別の条文に「団体旅客に対する料金は、その旅客運賃収受人員に相当する額とする」としています。
〔旅客規則第128条・第133条第1項・第138条第1項・第139条の5〕
　寝台料金については、当該団体に対して適用する寝台料金のうち、最も高額なものを無賃扱人員に適用します。　〔旅客基程第136条〕
　大人と小児の混乗の場合は、大人を優先して無賃扱人員とします。
（2）個人割引旅客を含めた全員によって計算します。
〔旅客基程第125条第1項第3号〕
（3）個人無割引旅客についても、個人割引旅客の例と同様に、全人員によって計算します。　〔旅客基程第125条第2項〕
（注）この適用があるのは、訪日観光団体のみです。
〔旅客基程第70条第2項〕
　これらは、いずれも本来の団体旅客の一部であるとの考え方にたったものです。

(4) 無賃扱人員制度が適用されるのは、訪日観光団体及び普通団体のみで、学生団体に対しては適用しません。〔旅客規則第111条第2項〕

　なお、特殊取扱いを行う団体〔旅規第43条第2項〕については、ＪＲ各社の団体旅客等取扱基準規程にそれぞれ別個に定めてあります。

〔7〕料金券

1　特急・急行券

> **Q 111**　特急券と普通急行券との料金体系はどこがどう違うのか？　それはなぜか？

A　特急は主として中・長距離、普通急行は中距離向けとしての列車設定経緯から、特急列車は指定席定位、普通急行列車は自由席定位で制度がつくられてきました。

　したがって、特急の場合は、自由席であっても特急券の範ちゅうのなかであり、「指定席料金の低減＝自由席特急券の設定」という考え方をとっており、普通急行の指定席利用は、特別手配として別種の座席指定券を必要とすることとしています。

　また、遅延の払いもどしにあっても、特急券は全額が、普通急行券の場合は急行料金のみが対象（座席指定券は対象外）となり、任意の払いもどしの場合も、特急は全額に対する手数料、普通急行は自由席の場合は急行料金、指定席の場合は座席指定料金に対する手数料（この場合、普通急行料金は手数料の対象としない）としています。

> **Q 112**　特急料金はスピードが大きな要素と思われるが、従前は東海道新幹線の「ひかり」と「こだま」や東北新幹線の「やまびこ」と「なすの」とも同一料金であった。「のぞみ」や「はやぶさ」の投入に際して料金格差を設けたのはなぜか？

A　東海道新幹線の開業時には「ひかり」と「こだま」を別料金としていたこともありますが、昭和47年（1972年）3月の岡山開業

時から同一料金適用になり現在に至っています。特急料金はスピード（速達性）が大きな要素ではありますが、必ずしもそれだけが構成要件ではなく、同名の列車でも停車駅パターンが多様化し所要時間も異なるようになったことや「ひかり」と「こだま」を途中駅で自由に乗り継げるラッチ内乗継ぎの制度が必要となり、それに対応する発売等の容易さも考慮したものです。その後開業した東北・上越新幹線でも東海道・山陽新幹線と同様に同一料金となっています。

しかしながら、東海道・山陽新幹線の「のぞみ」や東北新幹線の「はやぶさ」などは従来の「ひかり」や「やまびこ」と比べ格段にスピード差があり、速達性の向上に見合った別料金としています。
(注)「みずほ」(新大阪～博多間)、「こまち」(東京～盛岡間)も同様です。

Q113 「のぞみ」の指定席特急料金は、「ひかり・こだま」の指定席特急料金とは別料金としているが、自由席を利用する場合は同額としている。スピードの差として料金差を設けていることと矛盾しないか？

A 東海道新幹線の列車頻度や「のぞみ」と「ひかり・こだま」の乗継利用を考慮すると、「のぞみ」用の自由席特急券と「ひかり・こだま」用の自由席特急券を売り分けること、買い分けることは、現実的には困難です。

そのため、列車を特定しない自由席の特性を勘案し、利用しやすいものとするため、「ひかり・こだま」の自由席と同額まで引き下げ、利用列車変更時においても料金収受が発生しないよう、特定特急券として発売しているものです。

Q 114 （1）東海道新幹線の特急料金と東北新幹線の特急料金との間には110～220円の格差があるがなぜか？
（2）東北・上越・北陸新幹線の特急料金は、東京発着の場合と上野発着の場合とで210円の差があるのはなぜか？
（3）東北新幹線の601キロ以上の区間の特急料金の場合は、東海道新幹線の特急料金との差が150円と、600キロまでの区間に比べて差が小さいのはなぜか？

A（1）東北新幹線（昭和57年（1982年）6月開業）及び上越新幹線（同11月開業）とも、当初は大宮での暫定開業であったため、東海道・山陽新幹線と同レベルの特急料金でしたが、昭和60年（1985年）3月の上野～大宮間開業により、大宮での乗換え不便が解消されたこと、東海道新幹線との速度、快適性などのサービス面での差や雪害対策の改善、他運輸機関との競争条件の差などから100円～200円の差（その後、消費税の導入により現在は110円～220円の差となっている）が設けられました。

（2）東北・上越新幹線の東京開業に際して、東京発着（大宮以北との相互間）の特急料金については、上野発着の特急料金に一律200円を加算した額にしました。これは、東京～上野間の開業により20分程度の時間短縮と上野乗換えの解消などサービスアップが図られること、一方、東京～上野間に新たに発生する費用に対しては、同区間の営業キロが3.6キロで、東京と新幹線各駅との料金キロ地帯は上野と同一区分内となるため、そのままの特急料金では費用がまかなえないことから設定したものです。

（注）平成26年（2014年）4月の消費税率改定に伴う運賃改定で210円の差となっています。

（3）東北新幹線が平成14年（2002年）12月に八戸まで、平成22

年(2010年)12月に新青森まで延伸開業しましたが、これに伴い、東北新幹線にはこれまでなかった600キロを超える区間の特急料金が設定されました。

　特急料金の設定にあたっては、運賃・料金による収入と新たに発生する費用との収支見込みが考慮されることは当然ですが、営業キロ地帯ごとの料金差など既存の新幹線特急料金体系とのバランスや、他の運輸機関との競合関係、料金そのものの「わかりやすさ」「値ごろ感」なども考慮された結果であるといえます。

Q 115　「みずほ」や「さくら」で山陽新幹線と九州新幹線区間を直通して乗車する場合の特急料金の考え方は？

A　山陽新幹線と九州新幹線を直通して乗車する場合の特急料金は、それぞれの新幹線区間の特急料金を併算します。ただし、併算により割高となることを緩和するため、
・指定席利用時の座席指定料金相当額は全区間を通して1列車分とする。
・隣接駅間の特定特急料金を指定席利用時にも適用する。
・博多〜筑後船小屋間(51.5キロ)に50キロまでの料金レベルを適用する。

などの措置を行っています。なお、直通列車に乗車する場合だけでなく博多駅などで列車を乗り継ぐ場合も同様の料金適用となります。

　九州新幹線は、平成16年(2004年)3月に新八代・鹿児島中央間が先行開業し、東海道・山陽新幹線とは連続しない異なる輸送体系の新幹線として運行を開始しており、料金体系も別々のものでした。九州新幹線の全線開業で東海道・山陽新幹線と博多駅で結節し、それを機に新大阪・鹿児島中央間で相互直通運転することになりましたが、それぞれの新幹線は東京駅における東海道新幹線と東北新幹線と同様に料金の異なる別々の新幹線であることから、「みずほ」「さくら」が

山陽新幹線に直通運転をしますが、特急料金は併算制（グリーン料金も同様）としています。

> **Q 116** 平成 27 年（2015 年）3 月 14 日に北陸新幹線が金沢まで開業したが、ＪＲ東日本とＪＲ西日本にまたがって乗車する場合の特急料金が東北新幹線に比べて高額なのはなぜか？山陽・九州新幹線をまたがる場合や東北・北海道新幹線をまたがる場合となぜ特急料金の設定方法が異なるのか？

A 北陸新幹線は、国鉄時代に東京と大阪の間を結ぶ整備新幹線として計画され、国鉄分割民営化時の承継計画により、上越市以東（東京・上越妙高間）はＪＲ東日本が、以西（上越妙高・金沢間）はＪＲ西日本が営業主体となり、2 社により共同運営されることとなりました。東京・金沢間の相互直通運転を開始するにあたり、ＪＲ東日本とＪＲ西日本とをまたがる区間の料金は、駅間の営業キロに応じて東北・上越新幹線に適用している料金（長野までの既に開業していた区間も同じ。）をベースに、2 社で安全かつ利便性・快適性の高い新幹線サービスを提供するために必要なコストを賄うために一定の上積みをしていることから、ＪＲ東日本で完結する東北・上越新幹線の特急料金と比較すると高額となっています。なお、特急料金の検討にあたっては、時間短縮効果、直通運転による乗換解消等のサービス向上や対抗輸送機関との価格等を考慮しています。

　一方で、山陽・九州新幹線を直通する「みずほ」や「さくら」は、料金体系が異なる山陽新幹線と新八代・鹿児島中央間に先行開業していた九州新幹線が新八代・博多間開業を機に相互直通運転することとなったもので、元々は別々の新幹線であることから、博多駅をまたがって利用する場合の料金は、山陽新幹線区間の料金と九州新幹線区間の料金とを合算したものとなっています（Q 115 参照）。また、東北・

北海道新幹線も同様に東北新幹線区間の料金と北海道新幹線の区間の料金とを合算したものとなっています（Q 117 参照）。したがって、一つの路線として整備された北陸新幹線と、別々の路線として整備された山陽・九州新幹線及び東北・北海道新幹線とは異なる考え方となっています。

〔参考〕運輸省告示第 243 号（昭和 47 年 7 月 3 日）より

路線名	起点	終点	主な経過地
北海道新幹線	青森市	旭川市	函館市附近、札幌市
北 陸 新 幹 線	東京都	大阪市	長野市附近、富山市附近
九 州 新 幹 線	福岡市	鹿児島市	

Q 117　「はやぶさ」で東北新幹線と北海道新幹線を直通して乗車する場合の特急料金の考え方は？
　　　　北陸新幹線でＪＲ東日本とＪＲ西日本にまたがって乗車する場合とは異なるのか？

A　東北新幹線と北海道新幹線を直通して乗車する場合の特急料金は、それぞれの新幹線区間の特急料金を併算します。ただし、併算により割高になることを緩和するため、
・指定席利用時の座席指定料金相当額は全区間を通して 1 列車分とする。
・隣接駅利用時の特定特急料金を指定席利用時にも適用する。
などの措置を行っています。また上記の他に、北海道新幹線内での急激な料金上昇を抑制するため、新青森・木古内間及び奥津軽いまべつ・新函館北斗間に対する特急料金は認可申請した額より割安な特急料金を設定しています。
　北陸新幹線は整備新幹線として一つの路線であることから、東北・上越新幹線のレートをベースに、2 社で運営するあたり必要な費用を考慮し特急料金を設定（Q 116 参照）しましたが、東北・北海道新

幹線は、営業主体や料金体系の異なる別々の新幹線であることから、山陽・九州新幹線と同様に、それぞれの新幹線の区間の特急料金を併算することとしています。

Q 118　北陸新幹線が敦賀延伸されたが、どのような考え方に基づき、料金設定したのか？

A　金沢延伸開業時と同様に、敦賀延伸開業についても、JR東日本区間とJR西日本区間とをまたがる区間に設定する特急料金については、他新幹線路線の料金レートをベースに2社で安全かつ利便性・快適性の高い新幹線サービスを提供するために必要な費用を考慮し設定されています。

Q 119　「幹特在特」制度の設定目的は？

A　「幹特在特」とは、整備新幹線の開業等により、従来、在来線で運行していた区間において新幹線＋特急というご利用形態になると特急料金が急激に値上がりするため、激変緩和とご利用促進を図る目的で、新幹線特急料金と在来線特急料金をそれぞれ割引したうえで新幹線と在来線を1枚の特急券で発売する制度です。

例1）北陸新幹線の富山～敦賀間と大阪～敦賀間を運転する在来線特急列車「サンダーバード」又は名古屋・米原～敦賀間を運転する在来線特急列車「しらさぎ」とを敦賀駅で改札を出ないで乗り継ぐ場合の特急料金

〔例〕金沢～大阪間の指定席特急料金（通常期・普通車指定席）

	運行体系	指定席特急料金	料金設定の考え方	
開業前	特急「サンダーバード」 金沢——大阪 普通車指定席	2,950円 ①＋②	① 2,420円	自由席特急料金
			② 530円	座席指定料金相当額
開業後	北陸新幹線「つるぎ」 金沢——敦賀 普通車指定席／特急「サンダーバード」 敦賀——大阪 普通車指定席	4,570円 ③＋④＋⑤	③ 2,370円	割引の新幹線自由席特急料金（金沢・敦賀間通常2,640円）
			④ 1,670円	割引の在来線自由席特急料金（敦賀・大阪間通常1,860円）
			⑤ 530円	座席指定料金相当額 ※2列車利用であっても1列車分の座席指定料金相当額を収受

例 2) 西九州新幹線「かもめ」と門司港～博多～武雄温泉間を運転する在来線のリレー特急列車「リレーかもめ」とを武雄温泉で改札を出ないで乗り継ぐときの特急料金

〔例〕博多～長崎間の特急料金

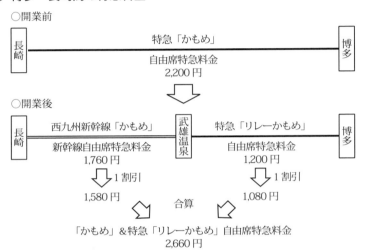

〔参考〕幹特在特は、平成16年（2004年）3月の九州新幹線新八代・鹿児島中央間開業時に、新幹線「つばめ」と博多・新八代間を運行していた「リレーつばめ」を新八代で乗り継ぐ場合の取扱いが最初となります。幹特在特の用語は、新「幹」線「特」急料金を特定し、「在」来線「特」急料金を特定するという意味合いがあります。

Q 120（1）特定の特急料金の設定目的は？
（2）「特定特急料金」という場合、「特定の特急料金」とはどこが違うのか？

A（1）いずれも他運輸機関との競争線区等特定の区間において、料

金負担を軽減することにより利用促進を図るべく設定しているものです。
（２）「特定特急料金」は、「特定特急券」に対応する用語であり、特急料金の一種として設定しているもので、別に定める特別急行列車の特定の区間をグリーン車以外の座席車に乗車し、原則として自由席を使用する場合に発売しています。新幹線の隣接１駅間とか在来線の鳥取～出雲市間等の主として末端区間に適用しています。

　なお、つばさ号の全車指定席化に伴い、東北新幹線の郡山・福島間においては、つばさ号を奥羽本線に跨って指定席を使用する場合の特定特急料金の設定があります。
　　　　　　〔旅客規則第57条第１項第１号ニ、旅客基程第95条の２〕
「特定の特急料金」は、期間、列車又は特定の条件を満足する場合に所定の特急料金を低減又は加算しているもので、閑散期・繁忙期・最繁忙期の特急料金、Ｂ特急料金、グリーン車・寝台車利用の場合の特急料金等がこれに該当します。「特定特急料金」が原則として自由席のみ対象としているのに対し、「特定の特急料金」は自由席のほか指定席をも対象としています。
　　　　　　〔旅客規則第57条第１項第１号イ・第57条の３〕
　平成14年（2002年）12月の東北新幹線八戸開業時から「はやて」［こまち］が全車指定席で運転されましたが、これに伴い盛岡～八戸間及び盛岡～秋田間では全車指定席の特急列車だけになってしまうことから、同区間内だけを乗車し、かつ、座席の指定を必要としないお客さまに対して「特定特急券」を発売することとし、自由席特急料金と同レベル（新幹線の隣接駅間は東北新幹線では現在880円）の特定特急料金が設定されました。

　平成22年（2010年）12月の新青森開業時からは発売区間が盛岡～新青森間に、さらに、平成28年（2016年）３月に盛岡～新函館北斗間に拡大（会社間をまたがる場合の特急料金はそれぞれの区間の特定特急料金を併算）され、「はやぶさ」にも乗車可能です。その後、

令和4年（2022年）3月に山形新幹線が全車指定席で運転されることにあわせて、福島〜新庄間も拡大されました。

〔旅客規則第125条第1号イ（ニ）i、j(a)・同号ロ（イ）i〕

Q 121　立席特急券と自由席特急券はどう違うのか？

A　自由席特急券は、特急列車のグリーン車以外の自由席を使用する場合に、座席の使用を条件としないで発売します。

　立席特急券は、自由席の設備のない特急列車のグリーン車以外の座席車に乗車する場合に、座席の使用を条件としないで発売します。

〔旅客規則第57条第1項〕

　つまり、全車指定制でなく自由席がある場合は自由席特急券を発売し、全車指定制で自由席がない場合は立席特急券を発売します。

　立席特急券は、乗車日・列車を指定するので指定券として扱われます。ただし、払いもどし手数料は自由席特急券と同様220円です。

Q 122（1）在来線の特急料金には「A特急料金」と「B特急料金」があるが、違いは何か？
　　　（2）JR北海道内、JR四国内にはなぜ「B特急料金」がないのか？
　　　（3）同じ「B特急料金」でも会社によって金額が異なる例が多くあるが、なぜか？

A　（1）昭和57年（1982年）4月の運賃・料金改定で、在来線の特急料金を「A特急料金」と「B特急料金」の2つの体系としました。

　「B特急料金」は特急「踊り子」、房総各線及び九州内各線に運転する特急列車に適用され、以降、適用線区・区間が拡大されてきました。

　B特急料金は、急行が全廃（特急格上げ又は快速化）され、オール

特急化が実施された線区で、
① 首都圏、京阪神地区など大需要の発生地で、頻度の高い列車網と割安な料金体系とによって需要増を図る線区
　　――― 高崎線・上越線・吾妻線、東海道本線・伊東線、房総各線、常磐線、東北本線（上野～黒磯間）
② 地域又は線区における市場の動向、他交通機関との競争関係から、割安な料金体系によって需要を確保する地域又は線区
　　――― 九州各線、紀勢本線（阪和線、関西本線を含む）
③ 新幹線の開業、乗継列車網の整備等によって従前の直通列車網を分断した線区で、全体として割安な料金体系採用によって乗継旅客の負担の軽減、需要確保を図る線区
　　――― 東北本線（盛岡～青森間）、田沢湖線・奥羽本線、白新線・羽越本線
のパターンに該当する線区に対して適用されました。

　その後、令和5年（2023年）4月よりJR西日本エリア内のB特急料金は廃止され、A特急料金に統一されました。

（2）前述のとおり、「B特急料金」の適用は、普通急行列車の特急列車格上げ線区の料金激変緩和策（したがって普通急行がないか、ほとんどないこと）と同時に、導入することにより減収とならないこと、また、運転区間が比較的短く、特急化しても時間短縮効果があまり表れない線区を選定基準としたもので、北海道内、四国内の線区はこれらの条件に合致しないため「B特急料金」の適用にいたりませんでした。

　その後、青函トンネルの開業により、中小国～木古内～函館間に東北本線からの直通特急列車が運転されたため同区間は「B特急料金」の適用線区とされました。

（3）消費税の導入による特急料金の改定にあたり、改定による増収額が税率分を上回ることが想定された会社については、一部キロ地帯の料金を調整した結果、会社により料金が異なることになりました。

また、JR東日本では、平成13年（2001年）12月から首都圏内の50キロまでの特急料金を値下げし、さらに平成14年（2002年）12月からは東北本線、羽越本線、奥羽本線の特急料金もあわせて150キロまでの区間の特急料金を値下げした（直通の特急列車が運転される中小国～木古内～函館間についても同様の料金とした）ことで、さらに会社間の差異が大きくなりました。

　一方で、JR九州の「B特急料金」は、利用促進を図るため、25キロの刻みや指定席と自由席の差が他社と異なっており、平成23年（2011年）3月の九州新幹線全線開業時に75キロの刻みの新設と料金レベルの見直し（値下げ）が実施されましたが、令和4年（2022年）4月より経営環境の変化を受けて、料金レベルの見直し（値上げ）を実施しました。JRが発足してから40年近くが経過し、各社を取り巻く経営環境や営業戦略の違いにより、独自の体系へと変化しています。

> **Q 123　平成27年（2015年）3月14日のダイヤ改正で、JR東日本は常磐線の特急「ひたち」と「ときわ」を全車指定席として、新着席サービスと新しい料金体系を導入したが、その仕組みと考え方は？**

A　平成27年（2015年）3月のダイヤ改正から常磐線の特急列車（「ひたち」と「ときわ」に名称変更）は、従来の指定席・自由席の区分を無くし、普通車に新たな着席サービスを導入し特急料金も改正しました。

　全列車の普通車を座席指定として指定席特急券を発売しますが、直前まで乗車列車が決まらないようなときには乗車日・区間のみを指定し、列車・座席を指定しない特急券（「座席未指定券」といい、乗車前に列車が決まれば座席の指定ができます。）も発売します。

　車内の座席上方に設置されたランプで、指定席発売済区間の席は「緑」、間もなく指定席発売済区間となる（座席指定を受けたお客さま

が乗車する）席は「黄」、空席は「赤」の点灯により発売状況を表示します。座席未指定券で乗車した場合はランプの点灯状況を確認して空席を利用いただくことになります。なお、指定席特急券を購入している場合（「緑」が点灯）は車内改札が省略されます。

　また、上野～勝田間はB特急料金、勝田を越えるとA特急料金を適用していましたが、新たな着席サービスの導入を機に、常磐線の特急料金を全面的に見直しました。

　改正ポイントとしては、
　○A・B区分を無くして全体的に値下げ
　○通年同一料金
　○事前購入促進のために車内料金を設定
などがあります。

〔参考〕ひたち及びときわの指定席特急料金（令和6年（2024年）3月現在）

○事前料金

営業キロ	50キロまで	100キロまで	150キロまで	200キロまで	300キロまで	400キロまで
料　金	760円	1,020円	1,580円	2,240円	2,550円	2,900円

○車内料金

営業キロ	50キロまで	100キロまで	150キロまで	200キロまで	300キロまで	400キロまで
料　金	1,020円	1,280円	1,840円	2,500円	2,810円	3,160円

（注）1．輸送体系が大きく変更されたことから、特急料金及び特別車両料金の水戸・勝田駅のラッチ内乗継制度を廃止。
　　　2．新たな料金設定に合わせ、水戸・原ノ町間の特定特急料金を廃止。

Q 124　特急料金は例外規定が多く複雑であるが、もっと簡素に整理できないか？

A 特急料金は、需要や競争条件などいろいろな理由から特例を設けていますので、種類が多くなっています。

例えば、近距離区間での特急列車の利用促進を図るために、25キロ又は30キロまでの区間に低廉な料金を設定したり、高速バスなどとの競争関係から特定の区間の特急料金を所定額よりも低廉な額に特定したりしています。

　しかし、一方では、多くの特例や料金の種類があることにより複雑でわかりにくいという弊害も否めません。ＪＲ東日本が、平成13年（2001年）12月から中央本線の竜王までをＢ特急料金の適用区間に改め、首都圏内の50キロまでの自由席特急料金を500円に値下げし、さらに平成14年（2002年）12月に長年設定されていた東京・錦糸町・新宿～竜王間の特定の特急料金を廃止したのは、複雑になりすぎた特急料金体系をわかりやすいものにしようという取組みといえます。また、ＪＲ東海も平成14年（2002年）6月の特定特急料金改定の際に規定の整理等を含めて行っています。

　最近では、JR西日本がB特急料金を廃止してA特急料金に統一したり、JR東日本ではひたち・ときわに適用している特急料金（通称、C特急料金）を、首都圏の特急列車へ拡大しています。

Q 125　指定席特急料金が、「通常期」「繁忙期」「閑散期」「最繁忙期」とシーズン別料金となっているのはなぜか？

A　昭和57年（1982年）の運賃・料金改定時から、閑散期における特急列車の利用促進策として、通常期の指定席特急料金から200円低減した額で「閑散期」の特急料金が設定されました。

　また、昭和59年（1984年）の運賃・料金改定時から、年末年始やゴールデンウイークなど利用が集中する時期に対する料金として、通常期の指定席特急料金に200円を加えた額で「繁忙期」の特急料金が設定されました。「繁忙期」、「閑散期」の対象時期については、もともとは全国一律でしたが、ＪＲ北海道、ＪＲ九州では地域性を考慮し異

なった期間としていました。

　その後、令和4年（2022年）4月に、JR東日本内（通年同額以外の在来線特急列車も含む）・北海道新幹線・北陸新幹線の普通車指定席に対して、新たに「最繁忙期」の特急料金が設定されるとともに適用カレンダーが見直しされました。これは三大繁忙期や連休等を中心に発生する列車の混雑の平準化を目的としたもので、その後、令和5年（2023年）4月には、東海道・山陽新幹線やJR西日本・JR四国・JR九州にも最繁忙期の設定及び適用カレンダーの見直しがされるとともに、これまで通年同額であったグリーン車利用時の特急料金にも、シーズン別料金を設定しました。

　シーズン別料金は、利用状況を年間でみた場合に、年末年始やゴールデンウイークなどの期間は大変混雑し、一方2月や6月などは利用者が少ないというように大きな季節波動があり、需要と供給のアンバランスが生じます。そのため、これを緩和し、閑散期は低廉な料金で利用を誘発し、また、繁忙期は列車の増発コストを賄うために料金を割高にするという考え方によるものです。

　宿泊施設やレジャー施設などでシーズンや曜日などにより料金格差を設けている例がありますが、シーズン別料金も同じような考え方といえます。

〔参考〕2024年4月現在のシーズン別料金の適用列車

※普通車指定席、グリーン車、グランクラス、寝台車

	線区	シーズン別料金の設定状況	適用カレンダー（Q132参照）
JR北海道	北海道新幹線	最繁忙期・繁忙期・通常期・閑散期	Aパターン
	在来線特急	通年同額	―

JR東日本	東北・秋田・山形・北陸新幹線	最繁忙期・繁忙期・通常期・閑散期	Aパターン
	在来線特急（下記以外）	最繁忙期・繁忙期・通常期・閑散期	Aパターン
	在来線特急（新着席サービス等）	通年同額	－
JR東海	東海道新幹線	最繁忙期・繁忙期・通常期・閑散期	Bパターン
	在来線特急	最繁忙期・繁忙期・通常期・閑散期	Bパターン
	在来線特急（ふじさん、踊り子）	通年同額	－
JR西日本	北陸新幹線	最繁忙期・繁忙期・通常期・閑散期	Aパターン
	山陽新幹線	最繁忙期・繁忙期・通常期・閑散期	Bパターン
	在来線特急（下記以外）	最繁忙期・繁忙期・通常期・閑散期	Bパターン
	在来線特急（サンダーバード・しらさぎ）	最繁忙期・繁忙期・通常期・閑散期	Aパターン
JR四国	在来線特急	最繁忙期・繁忙期・通常期・閑散期	Bパターン
JR九州	九州新幹線	最繁忙期・繁忙期・通常期・閑散期	Bパターン
	西九州新幹線	最繁忙期・繁忙期・通常期	Bパターン
	在来線特急	最繁忙期・繁忙期・通常期	Bパターン
JR各社またがり	しなの号、サンライズ号	最繁忙期・繁忙期・通常期・閑散期	Bパターン

Q 126 閑散期の低減は通常期の料金から 200 円引としているが、もっと差を広げるべきではないか？

A 通常期の指定席と自由席の差が 530 円であり、自由席には閑散期の低減料金がなく 530 円の中間に設定せざるを得ず、閑散期の指定席料金と自由席料金との差（330 円）も勘案し現状の設定となっています。　　　　　　　　　　　　　　　　〔旅客規則第 125 条第 1 項〕

Q 127 閑散期の低減や繁忙期の加算を自由席に設定していない理由は？

A 自由席特急券は、指定席と異なり自動券売機などの口座型の発売が多いこと等から、取扱上非常に煩瑣（はんさ）になること等を勘案し、導入にいたっていませんが、需要に応じた自由席特急券の価格差の設定もあり得ます。現状の新幹線の自由席特急料金は、全日、同一の認可料金となっていますので、繁忙期の加算には国の認可が必要となります。

Q 128 乗継ぎとなる特急料金の繁忙期・閑散期の適用は、団体の 1 期・2 期と同様に行程中のいずれかが閑散期の特急料金適用だと全区間閑散期適用可能か？　繁忙期割増の場合は？

A 閑散期・繁忙期とも、列車ごとに乗車日を基準として適用します。
　　　　　　　　　　　　　　　　〔旅客規則第 57 条の 3 第 1 項〕
　したがって、1 個の列車が閑散期適用だからといって、全区間が閑散期適用になるとは限りません。繁忙期についても同様です。

Q 129　6月の日曜日から月曜日にかけて運転する夜行特急の普通車の指定席車に乗車するときは閑散期の低減が適用されるか？
　　　　この列車に乗車駅月曜日発となるときは？

A 乗車駅の乗車日を基準として適用するので、同一列車であっても適用される場合と適用されない場合が生じます。したがって、同一列車でも、日曜日乗車となれば通常期料金適用、月曜日であれば閑散期適用となります。

〔旅客規則第57条の3第1項〕

Q 130　「山形新幹線」及び「秋田新幹線」の特急料金について。
　　　　（1）東京〜新庄間、東京〜秋田間の特急券の性格は？
　　　　（2）令和4年（2022年）に「山形新幹線」「秋田新幹線」の料金見直しがあったが、設定の考え方はどのようになっているのか？

A （1）「山形新幹線」「秋田新幹線」は、お客さまへの案内上使用している名称です（Q78参照）。特急「つばさ」は、東京〜新庄間を直通運転していますが、東京〜福島間は新幹線、福島〜新庄間は在来線（奥羽本線）です。また、特急「こまち」は、東京〜秋田間を直通運転していますが、東京〜盛岡間は新幹線、盛岡〜秋田間は在来線（田沢湖線・奥羽本線）です。

　特急券は新幹線区間と在来線区間を一葉で発行しますが、効力は、新幹線の特急券と在来線の特急券とを合わせたものです。ただし、払いもどし手数料については、一葉で発券した新幹線の特急券と在来線の特急券を同時に取り扱う場合は、1個の列車として手数料を収受します。

〔旅客規則第237条の2第6項〕

(2) 山形新幹線の全車指定化が行われたのにあわせて、「つばさ」「こまち」の特急料金は次のように設定されました。
① 新幹線と在来線の区間をまたがってご利用の場合と在来線区間のみをご利用の場合とでは在来線区間の料金体系が異なっていましたが、共通の特急料金を適用しました。
② 指定席特急料金の見直し
　新幹線と在来線の区間をまたがって普通車指定席をご利用の場合、それぞれの区間の座席指定料金相当額を合算していましたが、直通方向のご利用に限り、新幹線区間のみの料金（通常期の場合530円）としました。
③ 特定特急料金について
　在来線区間のみをご利用の場合で、座席を指定しないときは、「こまち」と同様に指定席特急料金よりも割安（通常期の料金から▲530円）な特定特急料金で普通車指定席の空席を利用できます。

○ 奥羽本線（福島～新庄間）および田沢湖線・奥羽本線（大曲～秋田間）の特急料金（指定席特急料金は通常期）

	50キロまで	100キロまで	150キロまで
指定席特急料金	1,290円	1,660円	2,110円
特定特急料金	760円	1,130円	1,580円

なお、東北新幹線郡山・福島間（山形新幹線で米沢以遠にまたがる場合も含む。）を普通車指定席をご利用の場合でも座席指定料金相当額を合算した特定特急料金（通常期の場合1,410円）が設定されました。

Q 131　旅客規則第 57 条第 6 項の具体的適用例は？

A 次のような場合、特急「いしづち 4 号」に松山〜宇多津間、特急「しおかぜ 4 号」に宇多津〜岡山間乗車するときであっても、全区間（松山〜岡山間）を 1 個の特急列車とみなして取り扱うということです。

（1）併結運転する例（松山〜宇多津間併結）

（2）2 個以上の列車が直通して運転する例
　　2 個以上直通して運転される団体臨時列車（その都度指定）

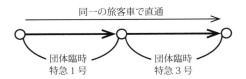

〔旅規第 57 条第 6 項〕……2 個以上の急行列車が一部区間を併結運転する場合の当該急行列車又は旅客車を直通して運転する 2 個以上の急行列車は、1 個の急行列車とみなして急行券を発売する。ただし、新幹線と新幹線以外の線区を直通して運転する特別急行列車及び別に定める急行列車を除く。

Q 132　旅客規則第 57 条の 3 第 1 項の具体例は？

A いわゆる「閑散期割引」と「繁忙期（最繁忙期）割増」の根拠条文で、特定の乗車日に乗車するときは、特定の指定席特急券を発売するという規定です。すなわち、指定席特急券を発売する場合、該当する日に

乗車するときは、特定の特急料金を適用した指定席特急券を発売するという条文です。

特定の期間を会社別に一覧表にすると次のとおりとなります。

期別 / JR別	閑散期（200円低減）	繁忙期（200円加算）	最繁忙期（400円加算）
東日本内・北海道新幹線・しらさぎ・サンダーバード ご利用の場合（Aパターン）	1月7日～2月末日 4月21日～4月26日 5月7日～5月10日 6月1日～7月15日 9月1日～10月10日 11月1日～12月27日 の期間中の月～木曜日（国民の祝日に関する法律に定める休日及びその前日を除く。）	3月21日～4月5日 8月1日～8月9日 7月・9月・10月・11月の祝日が土・日曜と連続し3連休以上となる場合の当該連休とその連休の前日	1月1日～1月6日 4月27日～5月6日 8月10日～8月19日 12月28日～12月31日
東海内・西日本内・四国内・九州内・JR各社間をご利用の場合（Bパターン）（注）	【2024年】 1月　9日～11日 　　　15日～18日 　　　22日～25日 　　　29日～31日 2月　　　　1日 　　　5日～8日 　　　13日～15日 　　　19日～21日 　　　26日～29日 4月　8日～11日 　　　15日～18日 　　　22日～25日 5月　7日～9日 6月　3日～6日 　　　10日～13日 　　　17日～20日 　　　24日～27日 7月　1日～4日 　　　8日～11日 　　　16日～18日 　　　22日～25日	【2024年】 1月　2日・5日 2月　9日～12日 3月　22日～31日 7月　12日～15日 　　　26日～28日 8月　2日～4日 　　　　8日 　　　12日・13日 　　　16日・17日 　　　23日～25日 9月　13日～16日 　　　20日～23日 10月　4日～6日 　　　11日～14日 　　　18日～20日 　　　25日～27日 11月　1日～4日 　　　8日～10日 　　　15日～17日 　　　22日～24日 　　　29日・30日	【2024年】 1月　3日・4日 4月　26日～30日 5月　1日～6日 8月　9日～11日 　　　　18日 12月　28日・29日

東海内・西日本内・四国内・九州内・JR各社間をご利用の場合（Bパターン）（注）	8月	26日〜29日	12月	1日・27日 30日・31日		
	9月	2日〜5日 9日〜12日 17日〜19日 24日〜26日 30日				
	10月	1日〜3日				
	12月	2日〜5日 9日〜12日 16日〜19日 23日〜25日				

（注）年度毎に最繁忙期・繁忙期・閑散期の設定を行っています。ＪＲ九州内は、在来線・西九州新幹線に閑散期の設定はありません。

Q 133　遅延特約の急行券は、無割引で発売してもよいか？

A 車内発売以外具体例はほとんどないと思いますが、無割引で発売することは、制度上は可能です。

〔旅規第57条の5第1項〕……（略）遅延特約の急行券を発売する。この場合、急行列車にあっては、割引の急行料金によって遅延特約の急行券を特別な条件を付して発売することがある。

2　グリーン券

Q 134　東海道・山陽新幹線の場合、ラッチ内乗継ぎ（改札を出ない乗継ぎ）として特急・グリーン料金の通算を認めているが、大宮での東北・上越新幹線の乗継ぎはどうか？

A 東北・上越新幹線も東海道・山陽新幹線と同様に順路方向（同一方向）のラッチ内乗継ぎは可能です。

　　ただし、「Ｖ字型」となる大宮駅での東北・上越新幹線相互のラッ

チ内乗継ぎは認めていません〔旅規第57条第2項第1号ただし書、第58条第2項第1号ただし書〕。したがって、この場合、大宮駅で打ち切って料金を計算することとなります。同様に、東京駅での東海道新幹線と東北・上越新幹線相互のラッチ内乗継ぎも認めていません。

ただし、東京～大宮間上越新幹線、大宮以遠東北新幹線という乗継ぎや、上り上越新幹線で大宮まで、大宮～東京間東北新幹線のように、同一方向型で大宮でラッチ内乗継ぎをすることまでをも制限しているわけではありません。高崎駅での上越新幹線と北陸新幹線乗継ぎでも同様です。

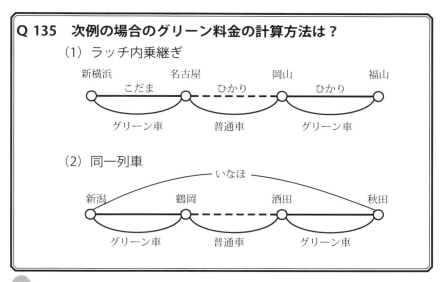

Q 135　次例の場合のグリーン料金の計算方法は？
(1) ラッチ内乗継ぎ
(2) 同一列車

A（1）新横浜～名古屋間と岡山～福山間との通算キロに対するグリーン料金とします。

　新横浜～名古屋間　337.2キロ
　岡山～福山間　　　 58.3キロ
　　　　　　　　　　395.5キロ………4,190円

（2）新潟～鶴岡間と酒田～秋田間との通算キロに対するグリーン料金

としまず。ただし、この取扱いは、満員等やむを得ない場合の取扱いです。　　　　　　　　　　　〔旅客基程第131条の2〕

（注）これらの場合の特急料金は、全区間の指定席特急料金から、通常期であれば530円を引いたものとします。

Q 136　特急料金とグリーン料金（A）のキロの刻みは合っていないが、合わせる必要はないか？

A　料金設定上からは合わせる必要はないと考えますが、実務の面からは、例えば特急・グリーン券の設備等からみるとどちらかのキロ刻みに合っている（現行は、グリーン料（A）は特急料金のキロ刻みを使っているといえます）ことが望ましいとはいえます。
〔例〕

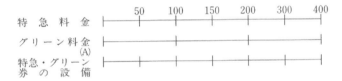

Q 137　JR東日本のグリーン料金は他社のグリーン料金と異なっているが、その理由は？

A　元々JR6社のグリーン料金は同じでしたが、平成8年（1996年）11月にJR九州が自社内のグリーン料金の値下げとキロ区分の見直しを実施し、独自の体系としました。以降料金レベルの若干の見直しがあり、平成23年（2011年）3月の九州新幹線全線開業時には新在別々の料金体系としました。
　JR東日本では、平成14年（2002年）12月の東北新幹線八戸開

業にあわせ、「開業キャンペーン」として自社内で完結する新幹線及び在来線のグリーン料金を値下げすると同時に300キロまでの刻みを設け、301キロ以上は同額とする体系とし、1年間のキャンペーン（試行）の後に所定の料金としました。その後、平成22年（2010年）12月の東北新幹線新青森開業に際し、700キロの刻みを設定しました。

　その後、令和4年（2022年）から令和5年（2023年）にかけて、JR東日本及びJR九州はご利用状況に鑑みグリーン料金の見直しを行い現在の料金に至ります。

　ＪＲ九州、ＪＲ東日本のグリーン料金見直しに共通した理由は、それぞれの社内におけるグリーン車の利用状況を踏まえて、料金体系の見直しによる利用促進や収益向上を図ることにあります。ＪＲ東日本の平成14年（2002年）の見直しの例で言えば、新幹線、在来線ともグリーン車の乗車率が低迷し、多くが空席のまま運行されている状況を打開するために、企画乗車券による利用促進だけでは効果が限られることから、基本の料金体系を見直して、在来線のボリュームゾーンである200キロまでの区間と新幹線のボリュームゾーンである300キロまでの区間で利用しやすいレベルにすることで新規のグリーン車利用を誘発しようと考えたものです。また、301キロ以上を同額（実施当時4,000円）とすることで、盛岡、八戸、秋田など長距離利用の拡大も目指しました。

〔参考〕現在のグリーン料金（A）
○6社共通（会社間またがり）の料金

営業キロ	100キロまで	200キロまで	400キロまで	600キロまで	800キロまで	801キロ以上
料　金	1,300円	2,800円	4,190円	5,400円	6,600円	7,790円

○JR東日本のグリーン料金

営業キロ		100キロまで	200キロまで	400キロまで	600キロまで	700キロまで	701キロ以上
料　金		1,300 円	2,800 円	4,190 円	5,400 円	5,600 円	6,600 円
主要駅名	新幹線	小山 熊谷	宇都宮 高崎 上田	仙台 長岡 長野	盛岡・八戸 新潟 山形・新庄 ・秋田	八戸	新青森
	在来線	大月（新宿） 土浦（上野）	甲府（新宿） 水戸（上野）	松本（新宿） いわき （上野）			

（注）新幹線駅は東京からのキロ帯、在来線は（発駅）からのキロ帯

○JR九州のグリーン料金

営業キロ	100キロまで	200キロまで	201キロ以上
新幹線／在来線	1,300 円	2,800 円	4,190 円

（注）在来線には他に「ＤＸグリーン料金」、「グリーン個室料金」等が設定されています。

Q 138 北陸新幹線のグリーン料金の計算方は？　ＪＲ東日本とＪＲ西日本のグリーン料金は同額なのか？
また、「みずほ」や「さくら」で山陽新幹線・九州新幹線にまたがって乗車する場合のグリーン料金の計算方は？

A 北陸新幹線のグリーン料金は、ＪＲ東日本区間は従来同様の料金を上越妙高までの延伸区間に適用しています。ＪＲ西日本のグリーン料金はこれまでの６社共通料金ではなく、ＪＲ東日本と同レベルのグリーン料金を上越妙高～金沢間に適用しています。これは、北陸新幹線という同一の新幹線であることを踏まえ、わかりやすさを優先して設定したものです。また、上越妙高を挟んで両社をまたがる区間のグリーン料金はそれぞれの区間のグリーン料金を合算（結果的には後述の山

陽新幹線・九州新幹線にまたがって乗車する場合と同じになりますが）します。これは、全体的には低廉な料金としつつ、各社毎の所定の料金収入を担保するという考え方によります。

「みずほ」や「さくら」で山陽新幹線・九州新幹線にまたがって乗車する場合のグリーン料金は博多を挟んで山陽新幹線と九州新幹線それぞれの区間のグリーン料金を合算します。特急料金と同様に、料金の異なる別々の新幹線であるということによります。

> **Q 139** 「はやぶさ」で東北新幹線と北海道新幹線を直通して乗車する場合のグリーン料金、グランクラス料金の計算方は？

A 「はやぶさ」で東北新幹線と北海道新幹線をまたがって乗車する場合は、東北新幹線と北海道新幹線のそれぞれに設定しているグリーン料金とグランクラス料金を併算します。ただし、グランクラスでまたがって乗車する場合は、お客さまの利便性等を考慮して一定額（両社1,050円ずつ）を低減した額を併算します。これは北陸新幹線でＪＲ東日本とＪＲ西日本をまたがって乗車する場合と同様です。

> **Q 140** 特急列車で、一部末端区間を普通列車として運転される列車のグリーン車に全区間乗車する場合のグリーン料金は、ＡグリーンりょうきんとＢグリーン料金の合計額か、乗車区間のＡグリーン料金か、それとも別の計算をするのか？

A 特急又は急行列車と普通列車とが直通して運転する列車のグリーン車にまたがって乗車するお客さまに対しては、特急又は急行列車のグリーン車の乗車区間に対するグリーン料金とすることとしていますので、普通列車の乗車距離にかかわらず、特急列車区間（下図の例でいえば大網〜勝浦間）のＡグリーン料金を支払えば、普通列車の区間を

含めた全区間に乗車できます。

〔旅客規則第58条第5項・第130条第3項・第175条第3項〕

〔例〕

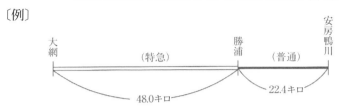

（注）この場合、グリーン券には「大網▶安房鴨川」と全乗車区間を表示します。なお、現在の基本運用では、グリーン車の連結された編成での運用はありません。

Q 141　指定席グリーン料金（A）と自由席グリーン料金（A）、指定席グリーン料金（B）と自由席グリーン料金（B）はそれぞれ同額であるが、いずれも独立した規定をおいている理由は？

A 乗車変更の取扱いや払いもどし手数料に差があるために区分しています。

**Q 142　グリーン料金は、特急・急行同額としているが、アコモデーションからいっても差をつけるべきでは？
さらに、新幹線と在来線とではどうか？**

A グリーン料金は、グリーン車の設備利用料金として設定していますが、寝台と異なり居住性に大差があるわけではないので同一料金としていました。

　しかし、ＪＲ東日本の「成田エクスプレス」やＪＲ九州の「ＤＸグリーン」のグリーン料金が、設備内容や定員面の見地から別料金で設

定されたように、多様化してきたことは事実です。今後もＪＲ各社が新たな営業施策上、居住性に格段の差が生じる新製車両を投入することも考えられるので、その際には検討は必要でしょう。

> **Q 143** 東京駅から伊東駅まで普通列車用のＢグリーン券を購入したが、伊東行きが少ないので熱海行きに乗り、熱海から伊東線の普通列車のグリーン車に乗り継ぎたいが、グリーン料金はもう１度払うのか？

A 途中下車しない限りそのまま乗り継げます。

グリーン料金は本来、列車ごとに収受することとしていますが、普通列車のＢグリーン券に限り、次の区間内相互間は途中出場しないで乗り継いで乗車する場合、１個の普通列車とみなして、Ｂグリーン券を発売できます。〔旅客規則第５８条第４項〕

○対象区間

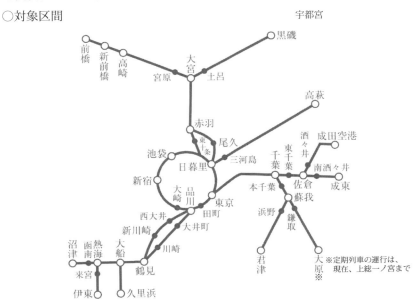

東海道本線東京～沼津間及び品川～新川崎～鶴見間、山手線、赤羽線、横須賀線、伊東線、東北本線東京～宇都宮間、日暮里～尾久～赤羽間及び赤羽～武蔵浦和～大宮間、常磐線日暮里～高萩間、高崎線、上越線高崎～新前橋間、両毛線新前橋～前橋間、総武本線東京～成東間、京葉線東京～蘇我間、外房線千葉～大原間、内房線蘇我～君津間、成田線佐倉～成田空港間

　ただし、逆方向の乗継ぎとなる次の各駅相互間については、発売しません。　　　　　　　　　〔旅客規則第58条第4項ただし書き〕

・来宮以遠伊豆多賀方面と函南以遠三島方面
・高輪ゲートウェイ以遠田町方面と大崎以遠五反田方面
・十条以遠板橋方面と東十条以遠王子方面
・川崎以遠蒲田方面と新川崎以遠武蔵小杉方面
・西大井以遠武蔵小杉方面と大井町以遠大森方面
・土呂以遠東大宮方面と宮原以遠上尾方面
・東千葉以遠都賀方面と本千葉以遠蘇我方面
・鎌取以遠誉田方面と浜野以遠八幡宿方面
・酒々井以遠成田方面と南酒々井以遠榎戸方面
・三河島以遠南千住方面と尾久以遠赤羽方面
・神田以遠秋葉原方面と新日本橋以遠馬喰町方面

○JR東日本の普通列車のグリーン料金

種類＼営業キロ	50キロまで	100キロまで	101キロ以上
Suica料金	750円	1,000円	1,550円
きっぷの料金	1,010円	1,260円	1,810円

〔IC規則第27条第4項、旅客規則第130条第1項第2号ハ〕

Q 144　普通列車用Bグリーン券の価格差設定その他の制度について。
（1）令和6年（2024年）3月ダイヤ改正において、首都圏に適用している普通列車用Bグリーン料金の大幅な改正が行われたがどのようなものか。
（2）きっぷとICカードで価格差を儲けるのは差別的な取扱いにあたるのではないか。
（3）なぜグリーン定期券の料金相当額は見直ししなかったのか。

A （1）平成16年（2004年）10月に「グリーン車Suicaシステム」（Q321参照）を導入した際に制定された、自由席グリーン券（B）の料金制度が令和6年（2024年）3月に大幅に改正されました。
料金見直しのポイントは以下のとおりです。

　①ICカードの普及によるお客さまのご利用状況の変化や普通列車グリーン車の運転区間の輸送体系の現状を踏まえ、よりわかりやすい料金体系に見直すとともに、紙のきっぷと比較し環境負荷が少なく、快適にご利用いただけるSuicaによるご利用を促進するためにSuica料金に価格差が設けられました。

　②平日と休日のご利用差が小さくなってきており、休日の利用促進という一定の使命を果たしたと考えホリデー料金が廃止されました。

（2）事前料金、車内料金の取扱いが廃止となり、きっぷの通常料金に統一されたものであり、環境負荷が少なく、車内改札も省略され快適にご利用できるSuicaによるご利用を促進するために、Suica料金はより低廉に設定されたものです。選択制が確保されており、差別的取扱いとはならないでしょう。

（3）グリーン定期券は平日・ホリデーのご利用日にかかわらず利用

可能なことや、101キロ以上の新たなキロ地帯のご利用は僅少であるため、発売額の見直しは行われておりません。

なぜ以前は普通列車グリーン車のグリーン料金に事前料金と車内料金の価格差があったのか

　東海道・横須賀線・総武快速線には、従前から普通列車グリーン車が運行されていましたが、乗車前にグリーン券を購入したお客さまから、グリーン券を所持せず乗車しているお客さまが着席するのは不公平であるとの意見が当時ありました。このため、乗車前のグリーン券の購入を促進するために事前料金を設けたのが設定経緯です。

Q 145　上野東京ライン経由と、湘南新宿ライン経由と2ルートあるが、グリーン料金の計算方は（経路特定）？

A 　上野東京ラインが開業し、東海道線と東北（宇都宮）線、高崎線、常磐線が直通したことで、経路特定区間（Q31参照）を通過する列車が新宿湘南ライン経由と上野東京ライン経由の2ルートできました。経路特定制度は普通旅客運賃・料金ともに適用されますので短い方の経路でグリーン料金も計算します。

　なお、同時に常磐線～東北（高崎）線～東海道線を通しのグリーン券（グリーン定期券も同様）で乗り継ぎ乗車することが可能となりました。ただし、上野方面から東京駅乗換の総武（快速）線への乗り継ぎは同一方向でないためできません。（Q143参照）

〔旅客規則第58条第4項ただし書き、第70条〕

3 指定席券、個室

Q 146 一部時期の座席指定料金 330 円は、払いもどし手数料 340 円を下回っているが、もっと高くしてもよいのではないか？

A 運賃・料金は、払いもどし手数料以外の他のバランスも考慮して設定されています。払いもどし手数料と運賃・料金の額は、必ずしも連動しているわけではありません。ただし、指定席料金は、放棄された場合、その席が再使用できないこととなりますので、問題がないわけではありません。

Q 147 寝台特急「サンライズ瀬戸」の「サンライズツイン（2人用B寝台個室）」を東京〜高松間大人1人で使用する場合の旅客運賃・料金の収受方は？

A 複数定員の寝台個室を定員未満の人数で利用する場合の旅客運賃・料金の収受方は、「寝台個室乗車区間に対する設備定員分の無割引の大人特急料金・寝台料金と、実際乗車人員分の運賃」を収受します。したがって、質問の区間に対する旅客運賃・料金は次のようになります。

寝台料金：7,700 円 × 2 人 = 15,400 円（定員分を収受）
特急料金：3,300 円 × 2 人 = 6,600 円（定員分の大人料金を収受）
運　　賃：11,660 円（東京都区内〜高松間の大人1人分の運賃を収受）

〔旅客規則第 74 条の 5〕

> **Q148** （1）設備定員が複数の寝台個室を、大人に随伴される幼児・乳児が利用する場合の運賃料金の収受方は？
> （2）2人用寝台個室を大人1名と幼児2名、乳児1名が使用する場合は？

A（1） 幼児は2人まで無賃です。3人目からは小児として扱います。乳児は何人でも無賃です。
　（2） 大人2人分の特急料金・寝台料金と、大人1人分の運賃です。

〔旅客規則第74条の5〕

> **Q149** 新幹線と在来線特急の乗り継ぎが残っているのになぜ乗継割引が全廃されたのか？

A 乗継割引は、新幹線と在来線の特急・急行列車を乗り継ぐ場合、在来線の特急・急行料金が半額になる制度です。乗継割引には適用条件があり、条件を満たさない場合は割引が適用とはならない等、ある意味では複雑な割引制度となっていました。乗継割引の廃止により、割引条件の適用有無を考慮せずにおトクな商品を選択できるようになることで、商品選択もより一層わかりやすくなると考えています。また、新幹線の延伸により輸送体系が変化したことから乗継割引のご利用が年々減少しているなど、設定当初の乗継割引の使命を概ね果たしたと言えます。

列車体系の変化と急行料金制度の変遷

　列車体系と急行・特急料金の変遷には密接な関連がありますが、ここでは主に特急料金について振り返ってみたいと思います。
　明治39年（1906年）4月16日に新橋・神戸間に設定された最急行列車の利用に初めて急行料金が設定されました。それ以前にも急行列車（さらに格上の「最急行」、「最大急行」という列車も有りました）の運転はされていましたが急行料金は収受していませんでした。

〔参考：明治39年（1906年）4月に設定された急行料金〕

	150哩まで	151哩以上
3等	30銭	50銭
2等	60銭	1円
1等	1円	1円50銭

※昭和5年（1930年）にメートル法が採用されるまでは運賃・料金とも哩（マイル）単位でした。150哩＝約241.4Km

　急行料金を必要とする列車は徐々に増え、明治40年（1907年）3月の時刻改正時に全ての急行列車に急行料金が適用されるようになりました。
　明治45年（1912年）5月には、急行列車の種類を「特別急行列車」と「普通急行列車」に区分し、急行料金も「特別急行料金」と「普通急行料金」による制度となりました。

〔参考：明治45年（1912年）5月に設定された急行料金〕
○特別急行料金

	400哩まで	401哩以上
2等	2円	3円
1等	3円	5円

○普通急行料金

	400哩まで
3等	50銭
2等	1円
1等	1円50銭

※400哩＝約643.7km

大正から昭和初期にかけては急行列車の黄金時代と言われましたが、太平洋戦争の戦況悪化により昭和19年（1944年）4月に特急列車が全廃され、急行列車も昭和20年（1945年）3月の時点では、東京・下関間に1往復を残すのみとなってしまいました。
　戦後の混乱期を経て昭和24年（1949年）9月に特別急行列車「平和」が東京・大阪間に1往復復活し、あらためて特別急行料金制度が設定されました。
　高度成長期には国鉄も旅客輸送においては順調に輸送量が増加し幹線系を中心に輸送力が逼迫する状況が続きました。1960年代には昭和36年（1961年）10月（サン・ロク・トウ）ダイヤ改正さらには昭和43年（1968年）10月（ヨン・サン・トウ）ダイヤ改正で数多くの急行列車、特急列車が増発され在来線の高速化が進められました。
　昭和47年（1972年）10月ダイヤ改正で全国にL特急群が整備され、それまで「特別」な列車であった特急列車の大衆化が進み、その後の急行の特急化や現在に至るJRの特急列車体系と料金制度の基礎ともなっていきました。
　また、昭和39年（1964年）10月の東海道新幹線の開業は大きな変化点になりましたが、その後の新幹線の延伸や新規開業によって新幹線ネットワークが拡大し、新幹線とそれに接続する在来線特急列車体系への再編成にあわせて、適用する料金レベルや料金制度も変化してきました。

○在来線の特急料金

　在来線の特急料金制度で大きな変化点の一つにキロ地帯制料金と区間別料金制が交互に繰り返されたことが上げられます。
　在来線の特急料金は当初はキロ地帯制料金として設定され、距離の刻み（区分）はその時々の事情を反映して変化はしたものの長く続いていました。しかし、昭和35年（1960年）7月に4地帯制料金から区間別料金（表定制）に変更されました。この改正の背景には、運賃・料金制度の合理化という取り組みがあり、この改正時に3等級制から2等級制への変更、運賃賃率の4地帯制から2地帯制への変更、往復割引制度の導入、特定特急料金制度の制定など大規模な制度見直しの一環として実施されています。翌年10月に予定されていたダイヤ改正も当然念頭にあって、当時においては区間別料金制が列車体系に相応しいと判断されたものと思います。
　制度改正前後の特急料金は〔参考〕の表のとおりです。当時、特急列車は東海道・山陽本線と常磐・東北本線に設定されていましたが、制度改正時点で特急料金のレベルに大きな変化は無かったようです。ただし、800kmを超える区間（東京〜三原以遠）は改正前よりも値下げされています。一方で、常磐線・東北本線は概ね改正前のキロ刻みの範囲ですが上野〜一ノ

関間は400kmを超えますが実質的に一刻み下の料金レベルになっています。区間別とすることでこのような料金設定も可能になったのでしょう。また、東京〜熱海間など400ｋｍに満たない特定の区間に特定特急料金（設定時2等300円、1等720円）が設定され短区間利用時の料金が所定料金の実質5割引きレベルで設定されていました。

〔参考：制度改正前後の特急料金比較〕
○昭和32年（1957年）4月運賃改定時の特急料金（改正前）

	400kmまで	800kmまで	1200kmまで	1201km以上
3等	600円	800円	1,000円	1,200円
2等	1,440円	1,920円	2,400円	2,880円
1等	2,160円	2,880円	3,600円	4,320円

※1等、2等は通行税を含みます。

○昭和35年（1960年）7月設定の区間別料金制の特急料金（改正後）
（東海道・山陽本線の一部区間）

	博多 (1174.9)	小郡間 小倉 (1107.7)	広島間 三田尻 (1009.2)	福山間 三原 (822.8)	姫路間 岡山 (732.9)	京都間 神戸 (589.5)	名古屋間 岐阜 (396.3)
東京	円 800 1,920	円 800 1,920	円 800 1,920	円 800 1,920	円 800 1,920	円 800 1,920	円 600 1,440

※上段は2等、下段は1等（従来の3等級制から2等級制に改正）
※従前のキロ地帯制に比べて800km超の区間は実質値下げになっています。

（東海道・山陽本線の一部区間）

	尻内間 青森 (735.6)	盛岡 (531.7)	仙台間 一ノ関 (441.5)	水戸間 平 (211.6)
上野	円 800 1,920	円 800 1,920	円 600 1,440	円 600 1,440

※上段は2等、下段は1等（従来の3等級制から2等級制に改正）
※上野〜一ノ関（441.5km）間は400kmを超えますが仙台・一ノ関間は同額（600円）です。

その後、特急列車が新設される度に適用する特急料金が区間ごとに設定されましたが、特急列車の運転区間が全国に広がり本数も増加すると実務上の困難さが大きくなり、昭和41年（1966年）3月運賃改定で再び地帯制（4地帯）料金に復することになりました。この時点では昭和43年（1968年）10月ダイヤ改正が既に計画段階でしたので、それを見越した改正だったと推測されます。以後はキロ刻みの変更はありましたが地帯制料金が現在まで続いています。

〔参考：昭和41年（1966年）3月改正時の指定席特急料金〕

キロ地帯	400kmまで	600kmまで	1200kmまで	1201km以上
2等	600円	800円	1,000円	1,200円
1等	1,320円	1,760円	2,200円	2,640円

※昭和32年（1957年）4月当時の料金レベルと大きな変更は有りませんが、1等（旧2等）については、昭和37年（1962年）4月に通行税が20％から10％に引き下げられ値下げになっています。

　昭和44年（1969年）5月の運賃改定で等級制が廃止となり特急料金も1本化されました。前年のダイヤ改正で増発された新しい特急列車体系にあわせて、比較的短い距離での利用に対する200kmまでのキロ刻みが新設されています。また、このタイミングで特定の特別急行料金は一旦廃止されました。（翌年10月に新幹線1駅間と在来線末端区間に復活しています。）

〔参考：昭和44年（1969年）5月運賃改定（等級制廃止）時の指定席特急料金〕

キロ地帯	200kmまで	400kmまで	600kmまで	1200kmまで	1201km以上
料　金	600円	800円	1,000円	1,200円	1,400円

　1970年代に入ると、航空機や自動車など交通手段の多様化の影響により国鉄の輸送量は次第に減少に転じ経営状況は悪化の一途を辿ります。昭和49年（1974年）から昭和57年（1982年）まで毎年運賃改定が実施されましたが、特に昭和51年（1976年）11月運賃改定の改定率は大きく、特急料金についても大幅な改定（新幹線平均45.9％、在来線36.1％）を実施しています。この大幅値上げの反動で、市場競争力は低下し以後の料金改定幅は抑えざるを得なくなりました。

〔参考：昭和51年（1976年）11月運賃改定時の指定席特急料金〕

キロ地帯	200kmまで	400kmまで	600kmまで	800kmまで	801km以上
料　金	1,200円	1,600円	2,000円	2,400円	2,800円

※601km以上のキロ地帯区分をグリーン料金と同様とするという理由付けで見直しを実施

1980年代になると急行用車両の老朽化もあり急行の特急化が進められました。その際には、特急格上げによる利用者の逸走を回避しつつ収入も確保するという二兎を追うような状況の中、昭和57年（1982年）4月運賃改定では、需要実態や列車設定条件等を考慮してA特急料金よりも低廉なB特急料金が設定され2本立ての制度となりました。また、近・中距離旅客の利用促進を図るため、新たに50km、150km、300kmの距離区分が設けられました。この頃になると新幹線の延伸や新規開業により新幹線と接続する列車体系へと大きく変化し、在来線特急列車は一部の長距離特急列車や寝台特急列車を除くと運転区間も短くなり近・中距離での利用にシフトしていたという背景があります。

　さらに、この改正時に閑散期の利用喚起を図るため通常期の指定席特急料金から200円引きした閑散期料金が設定され、次いで昭和59年（1984年）4月の運賃改定では繁忙期に通常期料金に200円を上積みする繁忙期料金が設定され季節波動料金が出来上がりました。繁忙期には需給調整と単価を上げて増収を図るという狙いがありました。

〔参考：57年（1982年）4月運賃改時の指定席特急料金〕
○A特急料金

キロ地帯	50kmまで	100kmまで	150kmまで	200kmまで	300kmまで	400kmまで	600kmまで	800kmまで	801km以上
料金	円1,200	円1,500	円1,900	円2,100	円2,300	円2,500	円2,900	円3,300	円3,700

※上野・宇都宮間、上野・高崎間、上野・水戸間および新宿・甲府間の停車駅相互間（100km以内の区間を除く）については、特定の特急料金（1,600円）を適用していました。

○B特急料金

キロ地帯	50kmまで	100kmまで	150kmまで	200kmまで	300kmまで	400kmまで	401km以上
料金	円1,100	円1,300	円1,600	円1,800	円2,000	円2,200	円2,600

※特急踊り子号、房総各線および九州内各線に運転する特急列車に適用され、同年11月には適用線区が拡大されました。

　その後は、キロ地帯の区分は変わらずに昭和59年（1984年）4月、昭和60年（1985年）4月、昭和61年（1986年）9月の運賃改定で若干の改定をした料金をＪＲ各社が承継しました。

毎年のように実施した運賃改定でも経営状況は改善できずに国鉄は破綻しましたが、急行列車、特急列車の増発による高速化が進められ、エル特急群の整備によって列車体系は完成形となりました。また、当時の国鉄としては画期的ともいえる輸送戦略と販売戦略を織り交ぜた一大プロジェクトが進められ、効果的な運賃・料金の改定に知恵を絞った時代であったことも事実です。
　ＪＲ移行後の各社は、国鉄が最後のダイヤ改正で整備した列車体系を承継しつつ次第に独自色を打ち出し、特徴ある新型特急列車の投入や特急ネットワークの整備、高速化などを進め、それぞれの地域の市場動向に合わせた料金施策やサービス展開が行われてきたことは周知のとおりです。
　しかしながら、ベースとなっている料金レベルや制度は、未だに国鉄当時の事情と変遷を踏まえたものであることも事実です。先人の知恵と現在の環境変化を踏まえた新たな知恵を盛り込んだ料金制度の検討が必要だと思います。

〇新幹線の特急料金

　昭和39年（1964年）10月1日東海道新幹線の営業が開始されました。開業時の新幹線特急料金は在来線とは別個の料金体系とし、サービスレベルの差（主に到達時分＝速度）を考慮してA、B、Cの3段階の料金を設定しています。
　当時、在来線の特急料金が区間制料金であったのに対して地帯制料金とされ、料金のレベルは在来線の特急料金に比べて、C料金は1.3倍、B料金は1.6倍、A料金は2倍を基準として設定されています。

※開業時に設定した特別急行料金

キロ地帯		200kmまで	400kmまで	600kmまで
C料金	2等	400円	800円	1,100円
	1等	880円	1,760円	2,420円
B料金	2等	500円	1,000円	1,300円
	1等	1,100円	2,200円	2,860円
A料金	2等	600円	1,200円	1,600円
	1等	1,320円	2,640円	3,520円

※新幹線特急料金は設定時から200kmまでのキロ地帯が設定されました。

　開業時は盛土や軟弱地盤における徐行区間が計17か所設けられていたため東京駅と新大阪駅の間を「ひかり」は4時間、「こだま」は5時間で運転

しました。このため、「ひかり」はB料金、「こだま」はC料金が適用されましたが、開業から1年が経過し、昭和40年（1965年）11月1日以降は東京・新大阪間を「ひかり」が3時間10分、「こだま」が4時間とスピードアップされ、「ひかり」はA料金、「こだま」はB料金を適用することになりました。※C料金は昭和44年（1969年）5月改正で廃止

　これに先駆けて、同年10月1日ダイヤ改正時には200km〜400kmの間に300kmまでの刻みを設け、増発を踏まえた利便性向上を図るため自由席特急料金制度（指定席特急料金から100円低減）が設定されました。

※同時期に在来線にも自由席特急料金が設定されています。なお、前年12月には開業以来の需要増大と年末年始多客期の輸送力確保を図るため、号車、座席を指定しない列車指定の自由席特別急行料金（2等）が設定されていますが、自由席と言いながら後の立席特急料金に近い制度でした。

　東海道新幹線の特急料金は開業以来キロ地帯制料金でしたが、昭和47年（1972年）3月の山陽新幹線岡山開業時に「ひかり」、「こだま」を区分しない統合料金（A料金）とし、停車駅相互間の料金を表定した区間別料金（現在の新幹線特急料金の原型）に改正されました。あわせて、新幹線列車を1本の列車と見做すいわゆる「ラッチ内乗継」制度も導入され、任意に列車を乗換えて利用ができることにしました。

　昭和50年（1975年）3月の博多開業時には新規開業区間に適用する料金が既開業区間と同レベルで新たに設定されました。

　毎年のように運賃改定が実施され、特に昭和51年（1976年）11月運賃改定で新幹線特急料金についても大幅な改定（新幹線平均45.9%）が行われたことは前述のとおりです。その後の運賃改定では航空機など競合を意識しながらの改定を強いられています。

　昭和57年（1982年）6月23日の東北新幹線大宮・盛岡間開業、同年11月15日の上越新幹線大宮・新潟間開業では特急料金は東海道・山陽新幹線と同レベルの表定の区間別料金で設定されましたが、昭和60年（1985年）3月14日に上野・大宮間が延伸開業し、同年4月の運賃改定では、「提供するサービス面、他運輸機関との競争条件、市場の動向など料金設定の基準となる各要素に於いて相当の格差がある」という理由（当時）から東北・上越新幹線と東海道・山陽新幹線の特急料金の間に若干の格差が設けられました。

　JR移行後は、東北新幹線の上野・東京間が開業し、八戸、新青森へと順次延伸しました。上野・東京間の開業時には当該区間の開業による利便性向上を踏まえて東京からの料金は上野起点の料金と差を設けています。

　また、新規路線として北陸新幹線（金沢開業までは「長野新幹線」の呼称）

が長野、金沢、敦賀と順次延伸開業しました。新規開業の都度、新たな区間に適用する特急料金が、東北新幹線、上越新幹線の既開業区間に適用している料金をベースに、需要や収支を想定しサービスレベルや競争条件を考慮して設定されてきました。

　北海道新幹線、九州新幹線、西九州新幹線の料金設定においても、各社の需要想定を基に収支見込みを立て、競争条件を考慮して設定されています。

　新幹線の特急料金設定で、ＪＲ移行後に導入された考え方に、高速加算料金というものがあります。最初にこの考え方を導入したのは東海道新幹線の「のぞみ」でしたが、東北新幹線の「はやぶさ」でも同様の考え方に基づき差を設けています。これは、大幅な速度向上による到達時分の短縮に対して、それを実現するための投資回収も含めて一定金額を上乗せしたものです。今後さらに高速化が進むと見直しの機会があるかもしれません。

　一方で新幹線特急料金についても、ベースとなっている料金レベルや制度は東海道新幹線であり、在来線と同様に国鉄当時の事情と変遷の上に成り立っています。また、新幹線特急料金の設定や値上げ改定には鉄道事業法の定めにより国土交通大臣の認可が必要です。さらに、整備新幹線については「全国新幹線鉄道整備法」に基づき建設されていることから、運賃・料金の設定についても事業者の自由度が制約されるところがあり難しい対応が求められてきました。

〇乗継割引制度の変遷

　制度として60年近く存続した「乗継割引制度」が令和6年（2024年）16日ダイヤ改正を機に全廃されました。これまで新幹線とそれに接続する在来線特急列車体系を料金制度面から支えていた制度についてその変遷を振り返ります。

　新幹線と在来線の特急・急行列車との乗継割引は、昭和40年（1965年）11月1日からの東京・大阪間「ひかり」3時間10分運転開始を機に、新幹線各駅（東京駅を除く）と大阪駅で、新幹線と在来線の特急・急行列車とを相互に乗り継ぐ場合に在来線の特急・急行料金を5割引したのが始まりです。乗継割引導入の背景として、同年10月実施のダイヤ改正で新幹線が増発された一方で並行する在来線では優等列車が削減されるとともに、新幹線と接続する特急・急行群に再編成されたことがあります。これらの新しい列車体系の利用促進を図る必要から、従来の在来線優等列車利用旅客の新幹線への転移を容易にすること、東海道線内相互発着ないし東海道線対関西以西発着旅客等の新幹線利用を促進することを目的に導入されました。新幹線と在来線との乗継割引は、その後順次開業した山陽新幹線、

東北新幹線、上越新幹線、北陸新幹線でも列車体系が新幹線との乗継体系に変わったことに合わせて適用範囲が拡大されてきました。
　また、本州内と北海道・四国内との乗継割引は、昭和41年（1966年）3月に在来線特急料金が距離地帯別料金に復したのに伴い本州・北海道間及び本州・四国間の特急・急行を直接乗継する場合に北海道及び四国の特急・急行料金を5割引することとしたものです。
　この乗継割引の発端となったのは昭和36年（1961年）10月ダイヤ改正時に導入された「結合特急料金制度」です。
　この年、特急が各地に新設されましたが、本州内の特急「はつかり」、「白鳥」と北海道内の特急「おおぞら」、「おおとり」とを直接乗継する場合、「つばさ」と「白鳥」とを秋田駅で直接乗継する場合に、1本の特急列車と見做し、それぞれの料金を合算したよりも安い結合特急料金（区間制料金）を設定しました。

（参考）設定当時の結合特急料金（いずれも2等料金で比較）
上野～札幌：1,100円　　　　　（上野～青森：800円、函館～札幌：600円）
金沢～旭川：1,100円　　　　　（金沢～青森：800円、函館～旭川：600円）
上野～青森(秋田乗継)：1,000円（上野～秋田：800円、秋田～青森600円）

　特急料金が距離地帯別料金に復した際に結合特急料金に代わる制度として乗継割引が導入されました。本州・北海道間、本州・四国間の場合、連絡船を乗り継がざるを得ず、料金が前後で打ち切りとなるため他の地区に比べ料金負担が重くなることから、それを軽減する必要があって結合特急料金制度やそれに代わる乗継割引制度が導入されました。
　本州内と北海道・四国内との乗継割引については、昭和63年（1988年）3月の青函トンネルの開通、同年4月の本四連絡橋の開通により、直通列車が運転されたことで、その使命を終えたとの意見もありましたが、直通列車の運転本数、運転区間等を考慮し、若干の発売条件の変更は行いましたが同趣旨の制度として存置されました。
　ＪＲ東日本では、平成14年（2002年）12月に、これまで東京、上野及び大宮を除く新幹線停車駅で適用していた乗継割引を、八戸、新潟、長岡、越後湯沢、長野の5駅に限って適用することに改めました。これは、新幹線停車駅で一律に割引が適用されることにより、新幹線と在来線を往復利用する場合に割引が適用されたり、新幹線の隣接駅間を乗車して長距離の寝台特急料金に割引が適用されたり、イベント列車などの臨時列車に自動

的に割引が適用されるなど、本来の設定趣旨とは異なる割引適用の実態を見直し、乗継割引制度に関連した様々な問題や煩雑さなどを解消しようとしたものです。

　ＪＲ九州は平成23年（2011年）3月の九州新幹線全線開業時に在来線特急料金の見直しを実施した際に、それまで小倉、博多で適用していた乗継割引を廃止しました。

　北陸新幹線金沢開業時には北陸新幹線とのアクセス特急が運転開始となったことから、上越妙高駅で直江津以遠（黒井方面）への乗継（ＪＲ区間の特急料金）、金沢駅で津幡以遠（中津幡方面）への（ＪＲ区間の特急料金）乗継と北陸本線（西金沢方面）への乗継について乗継割引を追加しました。なお、新幹線開業で北越急行線を経由する在来線の特急「はくたか」が廃止とされたので、上越新幹線から越後湯沢駅での乗継割引は廃止となりました。

　北海道新幹線の開業時には在来線特急列車の輸送体系が変更となったことから、北海道新幹線と新青森駅で津軽新城以遠（秋田方面）への乗継、北海道新幹線と新函館北斗駅での仁山以遠（長万部方面）への乗継について乗継割引を追加しました。

　なお、北海道新幹線開業により、海峡線を経由する在来線の特急・急行列車が廃止されたこと等を考慮し、東北新幹線から新青森駅を経由し青森駅で乗継する場合の乗継割引は廃止となりました。

　乗継割引の変形した制度として、現在は料金適用の考え方が当初の制度からは改正されていますが、新・在区間を直通運転する「こまち」、「つばさ」の登場に合わせて設定された特急料金制度があります。直通運転開始以前は、奥羽本線は福島駅で、田沢湖線は盛岡駅で東北新幹線と在来線の特急列車を乗り継ぐ場合に乗継割引が適用されていたことから、これを廃止する代わりに、東北新幹線区間と在来線区間とをまたがって乗車する場合の福島～新庄間、盛岡～秋田間の特急料金については特定の特急料金（「幹在特料金」という言い方をしていました。）を適用し、新幹線特急料金と併算していました。この特定の特急料金は、従前の乗継割引を考慮した負担軽減と直通運転による乗換え解消というサービス向上とのバランスを取った結果、Ａ特急料金の7割（＝3割引）相当の料金としたもので、令和4年（2022年）3月ダイヤ改正まで設定されていました。具体的には以下の通りです。（記載金額は令和4年（2022年）2月現在のものです。）

① 福島～新庄間の「つばさ」、盛岡～秋田間の「こまち」
　福島～新庄間又は盛岡～秋田間の区間内だけを利用する場合は、在来線Ａ特急料金を適用していました。

○A特急料金　　　　　　　（通常期指定席）

50キロまで	100キロまで	150キロまで
1,290円	1,730円	2,390円

②東北新幹線区間の「つばさ」「こまち」
　東京～福島間の「つばさ」、東京～盛岡間の「こまち」は、東北新幹線の特急料金を適用していました。

③東北新幹線と山形新幹線又は秋田新幹線
　東北新幹線と福島～新庄間又は盛岡～秋田間とをまたがって乗車する場合、福島～新庄間又は盛岡～秋田間の特急料金は、直通運転開始により福島駅及び盛岡駅での新幹線と在来線との乗継割引を廃止したかわりに、次の特定の特急料金を適用していました。
　この特定の特急料金は、A特急料金の7割（＝3割引）相当の料金でした。

○特定の特急料金　　　　　（通常期指定席）

50キロまで	100キロまで	150キロまで
910円	1,230円	1,680円

　7割相当であるため、自由席や繁忙期・閑散期の料金は、次のとおりでした。

a　自由席又はグリーン車利用時の特急料金
○自由席（特定）特急料金

50キロまで	100キロまで	150キロまで
530円	850円	1,300円

b　繁忙期又は閑散期の普通車指定席の特急料金
　200円×0.7＝140円……繁忙期は140円増し、閑散期は140円引き

　新幹線の延伸により新幹線で目的地まで到着することが出来るようになり、在来線に乗り継がなければならないケースが少なくなってきたことから、乗継割引という制度は廃止されましたが、鉄道利用を誘発するための施策は今日的な手法で今後も展開されていくものと思います。

JR北海道の主力になったハイブリッド気動車H100形

第3章
乗車券類の効力

〔1〕一般

Q 150 普通乗車券の発売条件に「片道1回乗車する場合」〔旅規第26条第1号〕とか、乗車券類の効力に「1回限り使用することができる」〔旅規第147条第1項〕との規定があるが、この「1回」とは？（1回途中で下車したら前途は無効ということか？）

A 券面表示区間内において片方向に、同一区間は1回しか使えない——復乗はできないということです。

〔使用例〕

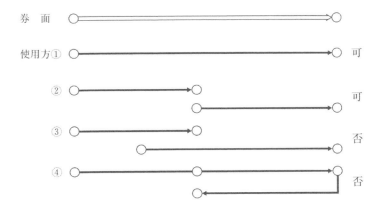

（注）途中下車の制限（下車前途無効）は、上述の原則的効力の例外規定です。

Q 151 旅客規則第167条第1項第13号で「乗車券をその券面に表示された発着の順序に違反して使用したとき」は無効として回収することとしているが、往復乗車券で復片を先に使ったり、連続乗車券の第2券片を先に使用することはどうか？

A 券面発着順序の制限（着駅方から発駅方への使用はできない）は設問のとおりですが、券片ごとの使用順序についての制約ではありません。このことは、例えば、〔旅基第279条第3号イ〕において「復片を先に使用して往片の区間において変更する場合」というように規定していることからも明らかです。したがって、往復乗車券の復片を先に使用したり、連続乗車券の第2券片を先に使用することは差し支えありません。

ただし、企画乗車券の大部分については、『「ゆき」の券片は、未使用の「かえり」の券片が伴っている場合に限り有効』というように券片使用順序を制約する特則を設けています。

Q 152 12歳以上13歳未満の小学校の児童は小児として取り扱うことができる〔旅基第111条〕となっているが小学校を卒業し、中学校に入学するまでの間の取扱いは大人として扱うのか、依然、小児として扱うのか？

A 規則上、大人・小児の区分は年齢により行うのであって、中学生・小学生といった区分ではありません〔旅規第73条第1項〕が、「旅基第45条（注）」等からの類推、卒業日が学校により異なることに伴う取扱上の公平等を勘案すると、小学校の卒業月の末日までに旅行開始する場合の当該乗車券類の有効期間中（定期・普通回数乗車券に

ついては学年の終期まで）は小学生（小児）として取り扱い、その後は大人として取り扱うのが適当と考えます。
　また、卒業月の末日をまたがって旅行する場合は、乗車券の有効期間中は併用する料金券も小児用のものを使用することができることとしています。
〔例〕3月30日から4日間有効の普通乗車券を使用し、4月2日特急列車を利用する場合は、小児用の特急券で乗車可能。
〔旅規第152条〕……小児用の乗車券類は、その有効期間中に、使用旅客の年齢が12才に達した場合であっても、第147条の規定にかかわらず、これを使用することができる。
2　前項の規定により、小児用の普通乗車券を使用する旅客は、その乗車券と同時に使用する場合に限り、第147条の規定にかかわらず、小児用の急行券又は座席指定券を使用することができる。
〔旅基第45条〕……指定学校の入学予定の学生又は生徒に対して発売する学生割引普通乗車券は、その学割証が学年の始期以前に交付されたものであっても、その学年の始期以後の日を有効期間の開始日とする場合に限って発売するものとする。
2　指定学校の卒業予定の学生又は生徒に対して発売する学生割引普通乗車券は、その学年の終期までの日を有効期間の開始日とする場合に限って発売することができる。
(注)「学年の始期」とは、学年の始まる月の初日をいい、「学年の終期」とは、学年の終わる月の末日をいう。
〔旅基第111条〕……12才以上13才未満の小学校の児童は小児とし、また、6才以上7才未満の小学校入学前の小児は、幼児として取り扱うことができる。
〔旅基第140条〕……小学校を卒業する児童に対してその学年の終期までの日を有効期間の開始日として発売した乗車券（定期乗車券及び普通回数乗車券を除く。）は、その有効期間中に旅客が小学校を卒業した場合で

あっても、規則第147条の規定にかかわらず、これを使用することができる。また、当該乗車券を所持する旅客は、その乗車券と同時に使用する場合に限り、小児用の乗車券類を使用することができる。
2　小児用の定期乗車券又は普通回数乗車券については、その有効期間中に、使用旅客の年齢が12才に達した場合であっても、規則第152条の規定にかかわらず、12才以上13才未満の小学校の児童は、これを使用することができる。

Q 153 高校生だが、３月１０日に卒業式を終えた後の取扱方について。
　　（１）所持している通学定期乗車券の有効期限は３月28日までとなっており、その間学校に用事があるが、この定期乗車券が使えるか？
　　（２）在学中に学生割引乗車券を購入しておいて卒業後使えるか？

A（１）学年の終期を赤書きした証明書（生徒証）を所持していれば、終期（卒業月の末日）まで使用可能であり、この設問の場合は通学定期乗車券の有効期限である３月28日まで使用できます。
〔学校規則第15条、旅客基程第53条〕
　なお、通学定期乗車券は、普通乗車券の場合と異なり、有効期限にかかわらず、終期（卒業月の末日）までしか使用できません。
（２）学年の終期（卒業月の末日）までを有効開始日とする場合に限って発行し、この有効期間中（終期を超える場合を含みます）は使用できます。
　なお、この場合も終期を赤書きした証明書（生徒証）を携帯する必要があります。〔学校規則第11条、旅客基程第45条〕
（注）学校教育法第１条に規定される小学校、中学校、高等学校、中等教育

学校、高等専門学校、特別支援学校及び幼稚園については、「学年は4月1日に始まり、翌年3月31日に終る」また、「大学の学年の始期及び終期は、学長が定める」旨が同法施行規則に定められています。それ以外の各種学校及び専修学校については、それぞれの学校の学則に定められた始期、終期によります。

Q 154 小児が大人用の乗車券類を使用した場合、車掌の証明があっても差額の払いもどしはできないか？

A 権利の過少行使として、大人用乗車券類を小児が使用できることとしています〔旅規第148条第2号〕が、お客さまが誤って購入し、係員がその事実を認定できるときは、「誤購入」として原券に適宜の証明をして、着駅等で払いもどしの取扱いをするべきでしょう。
〔旅客規則第293条、旅客基程第378条・第379条〕

Q 155 特急券と乗車券を2枚ずつ持っていれば1人で2席を占有できるか？

A 利用機会の公平を考慮し、占有できないこととしています。
〔旅客規則第147条第5項〕

Q 156 片道乗車券の区間内で、復乗はいかなる場合も認めないのか。例外があるとすれば、どんなケースでその根拠は？

A 片道乗車券では、原則として復乗は認めていませんが、例外として、特定都区市内発着又は東京山手線内発着の乗車券で、列車を乗り継ぐために同区間内で一部復乗となる場合のみを認めています。
〔旅客規則第160条の3第1項〕

また、フリー型乗車券など特別の商品について例外的に復乗を認める場合がありますが、営業規則（約款）上、券面区間について復乗を認めている例はありません。

　なお、券面区間外を復乗できる例としては、乗換駅を列車が通過するとき次の停車場で乗り継ぐため復乗となる場合〔旅規第160条の2・第160条の4〕と、列車の運行上折返し運転を行うため復乗となる場合〔旅規第160条の6〕があります。

〔2〕有効期間

> **Q 157** 片道乗車券の有効期間について、「営業キロ100キロメートルまでは1日（当日限り）、200キロメートルまでは2日、201キロメートル以上は、200キロメートルまでを増すごとに1日を加算する」〔旅規第154条第1項第1号イ〕としているが、その決定根拠は？

A 乗車券の発行日（乗車日）から旅行終了までの必要日数を、運転速度、列車の運転回数、乗車距離、途中下車等を参考にして決定したものですが、現在の規定は多分に沿革的なものであり、現行の列車のスピード、新幹線網の整備等を考えると中長距離の有効期間は長すぎるとの意見もあります。

　なお、「東京近郊区間」、「大阪近郊区間」、［福岡近郊区間］、「新潟近郊区間」及び「仙台近郊区間」の大都市近郊区間内の駅相互間の片道乗車券については、営業キロにかかわらず有効期間は1日です。

> **Q 158** 大都市近郊区間が拡大した結果、200キロを超える区間でも乗車券の有効期間が1日になってしまったのは不合理ではないか？

A 大都市近郊区間制度（Q169参照）は選択乗車制度の一つで、エリア内では運賃計算経路にかかわらず列車や経路を自由に選択して乗車できます。結果として発着区間の運賃は最安となる経路で計算しますので、途中下車も制限し、当日中に旅行が完結するという前提で有効期間を1日としています。

　大都市近郊区間はSuica（ICカード）の利用エリア拡大に合わせ

て拡大した結果、東京近郊区間のようにSuica導入前に比べてかなり広くなりました。そのため現在では200キロを超える区間も有効期間は1日となります。（現在の東京近郊区間内での最長距離は浪江〜松本間の504.1キロです。）

　長距離区間の移動は特急利用が主で、1日で移動が可能であり、利用実態から見ても問題は無いと考えます。

> **Q 159　平成26年（2014年）4月1日からそれまで2日間有効であった自由席特急券の有効期間を1日に改正したのはなぜか？**

A　1泊型の往復旅行の形態で、あらかじめ発駅で往復分の特急券を購入されるケースも多く、特急券を手売りしていた時代の事情で、発売の都度「から通」（「何月何日から有効」）の表示をしなくても復路用の特急券が購入できるように配慮したことと急な予定変更に備えた一種の予備日的な考えから自由席特急券の有効期間を2日間としていました。

　しかし、今日においては窓口や指定席券売機では乗車日を指定して事前購入が可能なこと、特急停車駅など主要駅では券売機も含めいつでも購入可能な発売体制になっていることから、平成26年（2014年）4月の運賃改定時の口座やシステム改修のタイミングにあわせて1日に改正しました。また、乗継割引が適用されていた場面では指定席特急券が同日の乗継に限られるのに自由席特急券は有効期間2日で結果的に翌日も割引適用になるといった不合理な面もあったことや有効期間が2日あることで不正な利用を惹起させるといったことも見直しの理由の一つです。

〔3〕途中下車

Q 160　「途中下車」と「下車」はどう違うのか？

A　「途中下車」は、旅規第156条本文に「旅行開始後、その所持する乗車券によって、その券面に表示された発着区間内の着駅（旅客運賃が同額のため2駅以上を共通の着駅とした乗車券については、最終着駅）以外の駅に下車して出場した後、再び列車等に乗り継いで旅行すること」とあるとおり、

① 乗車券であること（乗車券以外の乗車券類ではないこと）
② 着駅以外の駅に下車すること
③ いったん下車して出場し、再び乗車すること

であり、「下車」は文字どおりの意味の一般用語として①〜③の制約はないものです。

ただし、JRでいう「下車」は、ただ単に車両からホームに降りるのではなく、改札口（新幹線は、当該中間ラッチを含む）を出ることをいいます。

Q 161　乗車券の券面に「下車前途無効」あるいは「途中下車禁止」の表現があり、同じような意味にとれるがどう違うのか？

A　「下車前途無効」は定義どおり、どこかの駅でいったん下車（改札口を出ること）をすれば、前途未乗車区間があっても当該乗車券は無効とするというものであり、「途中下車禁止」の途中下車は前問〔Q181〕の意味で、いわゆる下車はできるが、再び乗り継ぐことはできないということで、意図するところは同じです。

しかしながら、一般用語としての「途中下車」は途中駅で降りるこ

と（再び乗車することは明確には含まれていません）であり、「禁止」では「前途無効を前提に、急用ができても降りてはいけないのか」との反問もできますので、表現としては使用しないこととし、「下車前途無効」や「途中駅で下車されると前途は無効となります」という表現に改めています。現在、「途中下車禁止」の文言は、ほとんど使われていません。

> **Q 162** 選択乗車について、2枚以上併用となる普通乗車券では、1枚の普通乗車券と比べて、途中下車に関する効力が異なるのはなぜか？

A 選択乗車区間において他経路を乗車中であっても原則として途中下車を認めていますが、途中下車した際に使用ずみ券片は回収しますので、回収したあとに途中下車前の経路の確認がむずかしいことと、もともと例外規定であり取扱上簡素となるように配慮しているためです。
〔旅客規則第157条第1項本文〕

> **Q 163** 選択乗車区間〔旅規第157条第1項〕について途中下車を認めている区間（経路）とそうでないものと2通りあるが、その差異の理由は？

A ① 選択可能経路が重複している場合
〔旅客規則第157条第1項第19号等〕
② 他の選択乗車区間との関係において選択乗車区間の両経路をまたがって乗車することができるため、結果として逆戻りの乗車形態となる場合 〔同条同項第29号〕
③ 著しくう回となる場合 〔同条同項第22号〕
等のときは、乗車事実が確認困難となったり、乗車経路により著しく

運賃の差が生じたりしますので、これらの区間については、途中下車を認めていません。

> **Q 164** 仙台市内発（東北・東海道・山陽経由）広島市内着の乗車券で、次の駅に途中下車可能か？ その根拠条文は？
> （1）長町
> （2）新宿
> （3）千種
> （4）呉
> （5）海田市

A　（1）×　発と同一の特定都区市内駅　〔旅客規則第156条第3号〕
　　（2）○　経路特定区間通過　　　　　〔旅客規則第70条・第159条〕
　　（3）×　経路外　　　　　　　　　　〔旅客規則第156条本文〕
　　（4）○　経路特定区間　　　　　　　〔旅客規則第69条・第158条〕
　　（5）×　着となる特定都区市内駅　　〔旅客規則第156条第3号〕

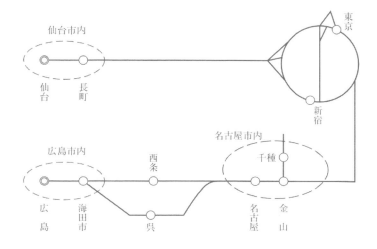

Q 165　旅客規則第70条の経路特定区間に関して、通過と発着で途中下車の取扱いに差を設けているのはなぜか？

A　もともと通過と発着とを比較するのは困難であり、それぞれの利用実態に応じて取り扱っているものです。経路特定区間を通過する場合は、旅客の意思に関わらず最短経路での運賃計算を強制するものですから途中下車を認めない方が不合理です。通過区間前後の経路が明示されているため片道乗車券の途中下車と同様の対処が可能ですが、発着については、特定都区市内制度が適用される乗車券と同様のものとなり、特定都区市内制度の考え方の延長にたって、効力の付加としてう回乗車を認めていますが途中下車は認めていません。

Q 166　営業キロ100キロで途中下車の可否を分かつ理由は？

A　営業キロが片道100キロまでの区間については、実態上途中下車の行われることが少なく、取扱いを簡便化する見地から制限し、あわせて有効期間も1日としているものです。

〔旅客規則第156条第1号〕

Q 167　継続乗車は、入場後有効期限が経過する場合の救済措置であり、その趣旨からすると乗車列車1回、翌日中に限られるのではないか？

A　継続乗車は、入場後の救済措置であり、趣旨は、そのまま「券面着駅」までの乗車に使用できるとするものです。〔旅客規則第155条〕
　したがって、優等列車から普通列車への乗換え等を考慮すると、乗車列車1回限りというのも実態に即せず、また、あえて翌日中に限る

という期限に関わる制限も行っていません。
　ただし、「継続乗車中」ということは、本来の乗車券としては無効となっており（期限切れ）、したがって、途中下車・乗車変更の取扱いはしません。〔旅客規則第155条・第245条〕
（注）企画乗車券の一部については、継続乗車の範囲を制限し、例えば「青春18きっぷ」のように、「乗車日が翌日にまたがる場合は、0時を過ぎて最初に停車する駅まで有効」という取扱いをしているものもあります。

〔4〕乗車券の効力

Q168 大都市近郊区間内でのいわゆる「一筆書き」乗車ができる理由は？

A 普通乗車券・普通回数乗車券の効力として区間内の経路を選択して乗車できることとしているので、結果的に最短・最安経路のもので、途中下車をしない限り遠まわりの乗車が可能となったものです。

〔旅客規則第157条第2項〕

Q169 大都市近郊区間に選択乗車制度を適用しているのはなぜか？ SuicaなどのICカード利用区間の拡大と同時に大都市近郊区間が拡大されているがその理由は？

A 乗車券は実際に乗車する経路に従って発売することが原則ですが、大都市圏では、乗車駅から目的駅までの経路が複数あり、どの経路にも多頻度の列車が運行しているため、一定のエリア内では乗車列車や経路を自由に選択できるようにすることにより、利便性の向上を図ることとしたものです。

結果として発着区間の運賃は最安となる経路で計算し、経路を自由に選択できることで、乗車券の発売を自動券売機で容易に行うために導入した制度でもあります。最安の運賃で乗車可能とする反面で途中下車不可（可とするとフリー乗車券化してしまうため）、有効期間も1日（当日限り）としています。

SuicaなどICカードシステムも、発着区間の最安の計算経路で運賃収受を行う仕様としており、その制度的裏付け（根拠）としてJR東日本では基本的には「ICカード利用区間≦大都市近郊区間」と

しています。また、Suica を利用した場合の運賃ときっぷを利用した場合の運賃の計算経路を同じにし、きっぷの使い勝手（有効期間1日、途中下車不可）も同じにする必要があると考えるからです。なお、令和5年（2023年）5月に北東北3エリア（青森エリア、盛岡エリア、秋田エリア）へ拡大した際には実態に即した乗車経路が複数なく、Suica を利用した場合の運賃ときっぷを利用した場合の運賃の計算経路に差が生じないことから、大都市近郊区間は拡大しておりません。

> **Q 170** 旅客規則第156条では、大都市近郊区間内の新幹線区間について、東京近郊区間では東京～熱海間、東京～那須塩原間及び大宮～高崎間を、大阪近郊区間では新大阪～西明石間を、福岡近郊区間では小倉～博多間を、新潟近郊区間では長岡～新潟間を、仙台近郊区間では郡山～一ノ関間及び福島～新庄間のつばさ号に乗車する場合をそれぞれ近郊区間には含めないこととしているが、なぜか？

A 新幹線に乗車する場合は、新幹線改札を入出場するため、乗車経路の特定ができますので、大都市近郊区間には含めず、実際乗車経路の運賃を収受するという原則に従って取り扱うこととしているものです。

> Q171 長岡〜燕三条〜新潟（新幹線経由）の乗車券で、次の経路を乗車できるか？
> （1）長岡〜東三条〜新津〜新潟
> （2）長岡〜燕三条〜東三条〜新潟
> （3）長岡〜東三条〜燕三条〜新潟

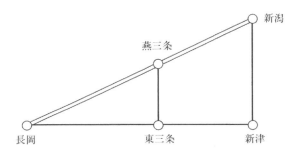

A（1）乗車可能です。

（2）燕三条〜東三条間について別途、乗車券を購入すれば乗車可能です。

（3）東三条〜燕三条間について、別途、乗車券を購入すれば乗車可能です。　　　　　　　〔旅客規則第157条第12号〕

> Q172 旅客規則第167条第1項第12号中「乗車する列車を指定した乗車券」の具体例は？

A 典型的なものとしては、団体乗車券があります。その他企画乗車券で、乗車列車を指定することを条件に割引している場合等が該当しますが、例外的なものです。

> **Q 173　旅客基程第 162 条の「悪意」とは」法律上の「悪意」（知っていることが前提）か、単に「故意」という意か？**

A　一般用語として使用しており、故意の場合も状況判断によりありうると考えています。

> **Q 174　都区内→新下関間の乗車券で京都駅で途中下車した旅客Aから、旅客Bが当該乗車券を 6,000 円で譲り受け、前途の区間を乗車したことが判明した。違反する事項があるか？**
> 　都区内→新下関　　13,420 円
> 　都区内→京都市内　 8,360 円
> 　京都市内→新下関　 9,130 円

A　旅規第 167 条第 1 項第 7 号により乗車券の使用（旅行）開始後の譲渡は禁止していますので、無効として回収し、全区間の普通旅客運賃 13,420 円とその 2 倍の増運賃 26,840 円を収受することとなります。
〔旅客規則第 264 条〕
　なお、転売したかどうかで区分するのではなく、使用（旅行）開始後に他人の乗車券を使用すれば、すべて〔旅規第 167 条・第 264 条〕が適用されます。

> **Q 175　定期乗車券について、神田・御茶ノ水・秋葉原間（神田・御茶ノ水・秋葉原相互発着を除く）で短絡乗車を認めている理由は？**

A　定期乗車券は、経路特定区間、選択乗車該当区間においても、ごく

一部の例外を除き、券面指定経路に限り乗車できることとしています。

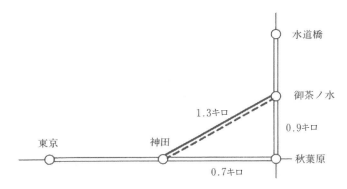

　設問の定期乗車券による短絡乗車は「水道橋～御茶ノ水～東京」の例の場合、秋葉原経由の定期乗車券で御茶ノ水から神田経由（短絡ルート）の乗車を可能とする制度です。これは、
① 　御茶ノ水では総武線緩行と中央線快速（又は各駅停車）とが同一ホームで乗継可能であり、利用時間帯によってはどちらの経由が便利ともいいがたいこと。
② 　同経由の場合、中間に停車駅がなく取扱上支障がないこと。
から、電車運行形態にあわせた乗車を可能とするため設けているものです。

〔旅客基程第153条第1号〕

　利便性向上の観点から同様の取扱いは他の区間（線形がトライアングルとなる区間）に順次拡大されていますが、いずれも他経路乗車中の途中下車はできません。

Q 176 （1）旅客規則第 160 条の 2（特定の分岐区間に対する区間外乗車の特例）第 1 項第 1 号の規定の定期乗車券に対する適用方は？

（2）次の例の場合、どのような定期乗車券を発売すればよいか？

A （1）旅客規則第 160 条の 2 は、分岐駅を通過する列車を乗り継いで乗車する場合の特例です。普通乗車券については、東京駅での東北・上越・北陸新幹線との乗継ぎを考慮して、日暮里～東京間の区間外乗車を認めています。

　一方、定期乗車券については、

① 区間外乗車の取扱対象は、通勤定期乗車券と通学定期乗車券に限定（グリーン定期券を除く）

② 区間外乗車の取扱区間は、乗継ぎの利便を図ることができる最小限の範囲とし、日暮里～上野間に限定

③ 区間外乗車の取扱列車は、在来線の列車に限定

という 3 つの制限を設けて適用しています。

（2）全区間を通勤定期乗車券（普通車）とする場合は、大宮～北千住間（日暮里経由）の通勤定期乗車券ですが、設問の場合のグリーン車乗車区間については区間外乗車は適用されませんので、第 1 区間大宮～上野間（グリーン車）、第 2 区間日暮里～北千住間（普通車）とする 2 区間のグリーン定期乗車券を発売します。

　（注）常磐線もグリーン車利用の場合は、第 2 区間日暮里～北千住間（グリーン車）となります。

Q 177 南浦和〜西船橋（武蔵野線経由）の通勤定期乗車券で、時間によって秋葉原経由で乗車できる方法はないか？（時間帯によって武蔵野線経由の本数が少ないため。）

A 定期乗車券は、原則として券面表示経路に限り乗車できることとしており、また、大都市近郊区間制度も適用していないので、設問の乗車は認められません。

　南浦和〜（武蔵野線）〜西船橋〜（総武本線）〜秋葉原〜（東北本線）〜南浦和の環状線一周定期乗車券を購入するならば、設問のいずれの経由でも乗車可能です。

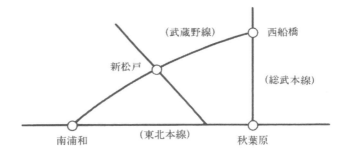

Q 178 ６ヵ月の通勤定期乗車券を購入し、まだ１ヵ月も使っていないのに誤って洗濯し、コナゴナになったが、再発行してもらえないか？

A 必要事項（区間・券番・有効期間・氏名等）が確認できれば再発行することもあります。

〔旅客規則第149条、旅客基程第139条〕

〔5〕料金券の効力

> **Q 179** （1）東京〜新大阪間の㊟自由席特急券所持客が横浜から乗車し、戸塚経由小田原から新幹線に乗車できるか？
> （2）できるとした場合、横浜〜小田原間の在来線特急の自由席乗車はどうか？

A（1）券面に表示された発着区間内の途中駅から乗車する場合には、権利の過少行使として乗車できます。係員としては、乗車方向が判別しがたい面があり、入鋏(にゅうきょう)位置、特急券の回収には十分配慮することが必要です。　　　　　　　　　〔旅客規則第148条第3号・第275条〕
（2）認められません。在来線の特急への乗継ぎを前提として設定しているものではありませんので。
（注）新幹線利用を放棄するのであれば別ですが、この例の場合、在来線から新幹線に乗り継ぐのですから乗車できません。
　なお、原券（㊟自由席特急券）の全区間について変更する場合には「種類変更」に該当するケースもあります。

> **Q 180** 一つの寝台を大人と小児等の2人で使用できるが、小児・幼児等の運賃・特急料金の収受額は？

A 小児の場合は、小児運賃と小児自由席特急料金（寝台利用時料金＝通常期の額から530円引いた大人料金の半額）が必要です。幼児・乳児が単独又は2人で使用する場合を除き、幼児・乳児に対しては収受しません。

〔旅客規則第181条、旅客基程第175条〕

〔参考〕　　　　　寝台同時使用の場合の収受法

旅客＼料金券	特急券	寝台券	同時使用者	特急券	寝台券
大人	○	○	小児	○	×
			幼児・乳児	×	×
小児	○	○	小児	○	×
			幼児・乳児	×	×
幼児・乳児	○	○	幼児・乳児	×	×

（注）幼児・乳児のみが使用する場合（表の最下段の場合）、上表の料金のほか、小児用の乗車券も必要です。

Q 181　父と子の旅行で、父が出雲市→東京間の特急・寝台券を所持している場合、小児が岡山から特急券を購入して乗車することを認めるか？

A 旅規第181条の寝台の同時使用に関する設問ですが、この条文の設定趣旨からして「特急・寝台券」があること（確認できること）が前提ですので、同時発売又は呈示発売できる場合に限られます。したがって、設問の場合、事前に購入してあるのならば乗車可能ですが、岡山で単独に購入申込みがあった場合は発売できません。

（注）この場合の特急券の発売額は、「（通常期の額－530円）÷2」です。

第4章
様式・発行方

Q 182 様式の変更は、どの程度まで誰の権限で認められるのか？

A JR各社の指定された者の定めによることとしています。ただし、JR他社にまたがるなどの他社に関係する様式の変更は、事前に関係JR各社にその内容を通知することとしています。また、連絡会社線に関係する場合は、協議することになっています。

〔旅客基程第 177 条、旅客等の取扱いに関する協定等〕

Q 183 記念乗車券、記念入場券の材質、形態はもっと自由にならないか？

A 制度的に絶対にできないというわけではありませんが、するべきではないと考えています。記念乗車券とはいっても乗車券には違いありませんし、一般に使われた場合等をも考慮し、材質・形態も一般の乗車券等の範ちゅうとすべきであると思います。なお、乗車券本体でなく台紙等を工夫して所定の乗車券等を添付するなどの別の方法で対処することは可能です。

Q 184 特別補充券の性格は何か？

A 特別補充券は様式上の種別であり、そのままでは乗車券類には該当せず、所要の事項について記入発行されて、はじめてそれぞれの乗車券類となるものです。

Q 185 きっぷに広告を入れることは制度上不可能か？

A 不可能なことではなく、過去に広告を入れた乗車券を発行した例（昭和 20 年代後半国鉄新潟局管内）もあります。

　乗車券面のスペース、恒常的スポンサーの確保、広告内容の適否、発行時期の確定が困難等の実務上の問題は多いと思いますが、ＪＲ以外の私鉄、軌道等では現在でも実例がみられ、また、ＪＲ東日本でも券売機用の乗車券の裏面に広告を印刷したものを東京付近の一部の駅で発売したことがあります。

第5章
乗車券類の改札及び引渡し

Q 186　改札と入鋏（又は入鋏等）とは、どう違うか？

A 改札とは、乗車するために乗降場に入場する際又は車内において、所定の乗車券類について、係員から受ける確認（自動改札装置による改札を含みます）のことです。　〔旅客規則第228条〕

　入鋏とは、旅行を開始する際に、所持する乗車券類（定期乗車券、団体乗車券、貸切乗車券、寝台券及び座席指定券を除きます）を係員に呈示して確認を受け、係員が改札を行った証拠、言い換えれば処理行為として、券面に確認の印を入れること（スタンプの押なつによる代用を含みます）です。
〔旅客規則第230条・第232条・第234条等、旅客基程第242条〕
　すなわち、入鋏は「旅行を開始した」「使用を開始した」（Q11参照）又は「列車内で改札した」という証明でもあるわけで、以後の乗車券類の取扱方に差異が生じます。
　なお、自動改札装置による入鋏は、係員による入鋏と同様、同等の処理とみなされ、旅規第230条第1項に規定してある「入鋏等」の「等」の意味には、スタンプの押なつによる代用があります。

Q 187　なぜ車内改札するのか？　車内改札に応じない場合はどうするのか？

A（1）　車内改札の理由
正確な旅行ができるよう必要な案内をするとともに、有効な乗車券類の所持を確認し、また、使用資格が限定されている乗車券類のときは、

その使用資格者であることを確認するためです。
〔鉄道営業法第 18 条、鉄道運輸規程第 19 条、旅客基程第 241 条〕
(2) 車内改札に応じない場合
旅規第 264 条・第 267 条により、無札旅客として、所持する乗車券類を無効として回収するほか、旅客運賃・増運賃（料金・増料金）を収受することとなります。〔鉄道営業法第 42 条、鉄道運輸規程第 19 条〕
(注) 車内改札を省略しているケースもありますが、あくまでも「省略」であって、いつでも改札することはできます。この場合、改札に応じなければ同様の対応となります。

Q 188　入鋏省略したらどういう問題があるのか、絶対不可能か？

A 使用（旅行）開始の認定が困難という問題があります。現に私鉄等では一部入鋏省略を行っていますので、取扱区間を限定するとか、払いもどし制限等の条件をつけるなどすれば絶対不可能とはいえません。
(注) 入鋏省略としていた鉄道会社でも、自動改札機の導入により実質的に入鋏が復活しているケースも多くあります。

第6章
乗車変更

Q 189　乗車変更と別途乗車とは、制度的にどう違うのか？

A　「乗車変更」は、原運送契約の一部又は全部の変更をいい、「別途乗車」は、原券の区間をベースにはするが、乗車変更と異なり、別に運送契約を締結するものといえます。別のいい方をすれば、「乗車変更」は、原運送契約の変更に関する取扱条件等の制限的な取扱範囲を規定するものであり、「別途乗車」は、この制限を超える区間の乗車に対する取扱いを行う場合、及び原券はそのまま使用するが原券の一部の区間又は原券の区間から分岐する区間を別に乗車する場合――原券そのものは変更しないので「別途」といっている――のことをいいます。

「乗車変更」は、主として旅客規則第7章第2節に定めており、「別途乗車」も同節中の第247条として規定されており、関連は深いといえます。

〔例1〕　原券の種別により異なる場合

① 　原券：片道乗車券（乗車変更可能）
　　→B～C間区間変更（乗越し）
② 　原券：定期・普通回数乗車券（乗車変更の取扱いをしない）
　　→別途乗車（B～C間別収受）

〔例2〕 乗車変更の取扱範囲を超える場合

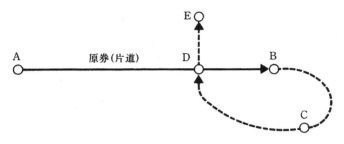

① B～C～D間区間変更
② D～E間別途乗車（Dで環状線一周）

〔例3〕 原券内の駅から分岐して往復乗車

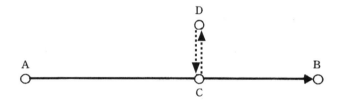

　C～D間別途乗車（取扱種別は分岐往復）

なお、類似の概念に「他乗代」（他駅発乗車券代理発行）〔旅規第20条第1項第2号〕制度があり、広義には、「別途乗車」に包含される概念ですが、「別途乗車」が車内でも扱うのに対し、駅のみに限定し、また、別に発売する普通乗車券の発駅を原券において途中下車できる駅に限るなど、自駅発売原則の例外措置として限定的に運用しています。

Q 190　乗車変更と乗車券類変更とはどこが違うのか？

A（1）「乗車変更」は、「乗車券類変更」を含んだ広い変更概念です。
（2）「乗車券類変更」は、①旅行開始前又は使用開始前に、②1回に限って、③とくに定める乗車券類について扱う「乗車変更」——といえます。
（3）なお、旅行開始後又は使用開始後の乗車変更は、次の4種です。
a　区間変更（乗越し・方向の変更・経路の変更）
b　種類変更
c　指定券変更
d　団体乗車券変更
（注）「方向変更」「経路変更」という用語は、現行の規定では使用していません。

〔参考〕

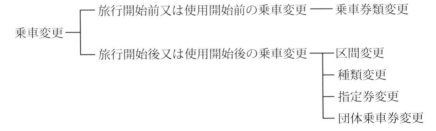

Q 191　乗車券類変更の取扱いをする場合、「当該乗車券類から同種類の乗車券類に変更することができる。」としているが、
（1）この同種類とは何をさすのか？
（2）変更する種類を同種類のものに限定している理由は？

A（1）旅規第18条に規定する乗車券類の種類のうち、最右端の種類（細区分のもの）をいいます。そのため、以前は、片道乗車券は片道

乗車券にのみ変更可能としていましたが、平成15年（2003年）10月から、普通乗車券相互間の乗車券類変更を可能にしました。また、指定券等については一部例外を設けており、一覧にすると次表のとおりになります。　　　　　　　　　　　　　　〔旅客規則第248条〕

乗車券類変更（旅行開始前又は使用開始前の乗車変更）

原　　　券		→	乗車券類変更可能な乗車券類	備　　考
乗車券	片道乗車券 往復　〃 連続　〃	→	片道乗車券 往復　〃 連続　〃	・旅行開始前＆有効期間内申出
料金券	指定券	→	指定券（急・グ、急・寝、急・コンパ、急・座を含む）	① 指定券は、満席のときに限り自由席への変更可 ② 原券が指定席の場合は、原券の出発時刻までに申出、その他は使用開始前で有効期間内申出
	自由席特急券 特定　〃 普通急行券	→	自由席特急券 特定　〃 普通急行券	
	自由席グリーン券	→	自由席グリーン券 （急・グを含む）	

（2）同種類のものに限定しているのは、もともと乗車券類変更が乗車後に行う乗車変更と同種のものを乗車前にも取り扱うこととしたものであったためであり、また、異種間のものも取り扱うこととすると、発売開始日などの発売条件、払いもどし手数料等に影響があることを考慮し、取扱事務の簡素化を図ったものです。

Q 192　乗車券類変更は「1回」のみ取り扱うこととしているがなぜか？

A　取扱いの簡素化を図り、また、未使用払いもどしのお客さま（特に指定券利用のお客さま）と著しくアンバランスとならないよう配慮したものです。なお、JR各社のインターネット予約サービスでは、変更回数の

制限を設けないサービスも行なわれています。 〔旅客規則第248条〕

Q 193 乗車券類変更をして、さらに変更の必要が出た場合はどうすればよいのか？

A 主として指定券に関して起こると思いますが、払いもどしが可能であれば、原乗車券類はお客さまの都合による未使用払いもどしの取扱いを行い、新たに必要な乗車券類を購入していただくこととなります。

Q 194 料金専用補充券で乗車券類変更は可能か？

A 料金専用補充券は車内補充券と同じように様式上の区分であって、これ自体は乗車券類ではありませんが、料金専用補充券等の特別補充券を使用して発行した乗車券類については、当然それぞれの乗車券類として定められた乗車券類変更は可能です。

Q 195 大人の乗車券類を小児の乗車券類に変更可能か？

A 変更できません。

乗車変更は、「所持する乗車券類に表示された運送条件（区間・経路等）の変更」であり〔旅規第241条〕、また、このうち乗車券類変更は「旅行開始前又は使用開始前における同種類の他の乗車券類への変更」である〔旅規第248条〕ことから、「乗車券類所持旅客＝運送契約当事者」の変更までをも対象とするものではありません。設問は、明らかに契約当事者の変更を意味するもので、対象としません。

この種事例の場合、指定急行券等については、係員が事情やむを得ないと認めたときは、誤購入の取扱いができます。

〔旅客規則第293条、旅客基程第379条〕

Q196 普通乗車券を特別企画乗車券に変更可能か？ 反対の場合はどうか？

A 変更できません。

「同種類」はQ191にあるように旅規第18条各号の最右端の乗車券類であり、このことからも種類は狭義に解すべきで、特別企画乗車券を普通乗車券の一種として、普通乗車券と特別企画乗車券相互間の乗車券類変更が可能とするのは拡大しすぎです。

特別企画乗車券については、個別に乗車変更について制限を設けているものが多く、この制限内の乗車変更に限られることはいうまでもありません。

また、「同種類」に制限しているのは、原券の発売箇所で乗車券類変更の取扱いができることを前提としたものです。

したがって、例えば特別企画乗車券のように、発売箇所を原則として制限しているものと、普通乗車券のように、原則として各駅発売としているもの相互間の変更は取り扱いません。

Q197 学割を適用した普通乗車券で乗車券類変更をした場合、原乗車券と同じ割引をするのか？ また、新たに学割証は必要か？

A 変更後の全乗車区間が割引の取扱いができる区間であれば、割引の旅客運賃となりますし、割引証は不要です。

ただし、学割乗車券で乗車後に区間変更の取扱いを行う場合は、無割引の普通旅客運賃で計算します。　　〔旅客規則第249条第2項〕

> **Q 198** 学割の片道乗車券を所持する旅客が区間を変更する乗車券類変更の申出をし、割引条件を満たさなくなる場合、変更後の無割引の普通旅客運賃と原券の割引旅客運賃とを比較した取扱いは可能か？

A 設問は、学割乗車券（営業キロの区間101キロ以上）を営業キロ100キロまでの区間のものに変更するような例を想定してのことと思いますが、変更は可能です。（不足額は収受し、過剰額は払いもどします。）
（注）学割証は返還しません。
　　ただし、無割引のものから割引のものへの変更は割引証が必要です。

> **Q 199** 旅規第243条に「区間・経路等に制限のある種類の割引乗車券又は普通回数乗車券については乗車変更の取扱いをしない」としているが、この条文と乗車券類変更との関係は？

A（1）　普通回数乗車券については、乗車変更はいっさい取り扱いません。したがって、定期乗車券と同様に別途乗車の取扱いとなります。
（2）　割引乗車券については、乗車変更することにより発売条件上の制約を緩和することとなるような変更——101キロ以上という発売条件のついている乗車券を100キロ以下の区間に割引して変更するなど——は取り扱えないことは当然ですが、例えば、学割乗車券で乗越しとなる形態の変更のように、当該条件内の変更とか、割引の普通乗車券を無割引の普通乗車券に変更するような場合、特約のない限り扱わないとする特別の理由もありませんし、取扱上とくに支障するとも思えませんので、この種事例の場合は取り扱うことが妥当です。

Q 200 指定券で通路側→窓側、寝台券で下段→上段への変更は可能か（乗車前と乗車後ではどうか）？

A 乗車前は、空席があれば、サービス上の変更として取り扱い、乗車券類変更の回数には含めません。乗車後は指定券変更として取り扱います。寝台券の段別変更の場合の差額については、不足額は収受し、過剰額は、乗車前（乗車券類変更）のときは払いもどししますが、乗車後（指定券変更）のときは払いもどししません。

〔旅客規則第248条・第252条〕

Q 201 岡山から新神戸着の乗車券で、
　　　　（1）新大阪経由大阪まで乗車した場合の旅客運賃収受方は？
　　　　（2）西明石から在来線で大阪まで乗車した場合の旅客運賃収受方は？
　　　　（3）新幹線経由新大阪まで乗車した場合の旅客運賃収受方は？

A

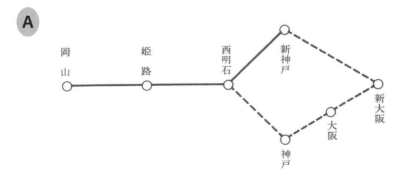

　岡山から大阪又は新大阪着となる場合は、岡山駅では、新神戸経由

又は神戸経由にかかわらず、岡山～大阪間（神戸経由）の旅客運賃で発売します〔旅規第88条〕が、設問の場合、原券の営業キロが100キロを超えているため、区間変更（乗越し）は、乗越区間の運賃を収受することとなり、旅客規則第88条は適用されません。したがって、
(1)の場合は、乗越区間新神戸～新大阪～大阪間の運賃（40.7キロ分）を「区変」として収受
(2)の場合は、変更区間西明石～神戸～大阪間の運賃（55.9キロ分）と不乗車区間西明石～新神戸間の運賃（22.8キロ分）との差額を区間変更（方向の変更）として収受
(3)の場合も、(1)と同様に、区間変更（乗越し）として新神戸～新大阪間の運賃（36.9キロ分）を収受
することとなります。

　なお、(1)については、(2)の方向の変更の取扱いをし、旅客規則第157条第1項第29号の選択乗車制度を活用する方法、(2)については、同条同項第32号の選択乗車制度を活用し、原券で神戸まで乗車、神戸～大阪間別途収受（神戸～大阪間は、特定運賃としているため区変の扱いよりかなり安くなります）という方法がないわけではありません。しかしながら、この種の取扱いにあたっては、まず乗車変更が可能かどうか判断し、別途乗車的な取扱いは乗車変更の取扱いができないときに限定して考えるべきです。
(注)(1)については選択乗車制度を活用すると(3)の場合より安くなり、実乗車区間でみて遠い方が安くなります。

Q 202　乗車券と指定席特急券とのマルス一葉化券の特急券のみを乗車券類変更し、乗車前にさらに両者について区間の延伸を申し出たら断られた。どうしたらよいのか？

A　(1) 乗車券は特急券の乗車券類変更に伴い分割発行をしたのであ

り、変更しているわけではありませんので、1回の乗車券類変更（区間の延伸）は取り扱わなければなりません。

（2）特急券は、1回乗車券類変更しているので、さらに乗車券類変更の取扱いはできませんので、

a　変更区間が短区間なら車内で指定券変更するよう案内する

b　変更区間が長い区間なら払いもどし手数料を収受して払いもどしのうえ、全区間再購入するよう案内する

ことが適切と思います。

Q 203　指定券から別の列車の自由席（指定席が満席のため）に乗車券類変更したが、乗車してみると自由席は満席だが指定席は空いていたので、変更の申出をしたいのだが？

A 乗車後において空席が確認できれば、指定券変更として取り扱います。この場合、原券が乗車券類変更したものであるか否かを問わず、1回の指定券変更はできることになっています。

〔旅客規則第244条・第252条〕

Q 204　「発駅計算」「着駅計算」「打切計算」というのは何か？

A 規定上の用語ではありませんが、主として乗車変更を行う場合の計算方式を区分するため専門用語として用いているもので、
例えば、

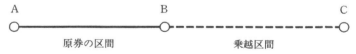

の場合、

①　（A～C間＝全区間の旅客運賃・料金）－（A～B間＝原券の旅

客運賃・料金)で計算する方式を「発駅計算」方式
② B～C間＝乗越区間の旅客運賃・料金を収受する方式を「着駅計算」又は「打切計算」方式
と称しています。

「発駅計算」は「差額計算」と称することもあり、また、方向・経路の変更の場合で変更区間と非変更区間とを比較計算する場合も「差額計算」方式と称します。

なお、乗車券類変更をはじめとして乗車変更の場合の収受方式は、基本的には「発駅計算」方式を採用していますが、乗越しとなる区間変更の場合は、原乗車券が次のいずれかに該当する区間変更の取扱いをするときを除き、「着駅計算」方式によることとしています。

(1) 大都市近郊区間内にある駅相互発着の乗車券で、同区間内の駅に変更するとき
(2) 片道の乗車区間の営業キロが100キロ以内の乗車券で変更するとき
(3) 自由席特急券、特定特急券、普通急行券又は自由席特別車両券で変更するとき　　　　　　　　　　　　〔旅客規則第249条〕

Q 205　少なくとも乗越しとなる区間変更をする場合の計算方式（発駅計算方式と着駅計算方式）は統一したものとならないのか？

A 乗車変更の取扱いは、着駅で取り扱うことも多く、この場合、即決の処理が要請され、このため他の取扱いにも増して極力簡便な方式が望ましいといえます。

例えば、着駅計算方式によることとすれば、
① 原券が金額式乗車券の場合、原券の着駅の判定に時間がかかること。

② 大都市近郊区間内相互発着の乗車券は原則として最短経路により発売しているので、着駅を変更する場合、当該区間は経路が入り組んでいることもあって、方向の変更として扱う（変更区間と非変更区間との比較）のか、乗越しとして扱うのかの区別処理に時間がかかること。

　一方、発駅計算方式とすれば、結果において乗越着駅までの乗車券を最初から購入した場合と同額の運賃を支払うことになりますから、遠距離逓減制のもとでは最も合理的にみえますが、

① 順路でないような経路の場合、全区間の旅客運賃算出（キロ算出）に時間がかかること、1駅乗り越す場合でもまず全区間の運賃を算出しなければならないこと、また、全区間算出のうえさらに引き算をしなければならないこと。

② 目的地の一つ先まで乗車券を求め途中下車の形としておいて後日乗越しとして乗継ぎするなど遠距離逓減制の利益を逆用され、手数増となるおそれが多分にあること。

　等から両方式ともそれぞれ難点があり、それぞれの方式が最大限に生かせる形で併用する現行方式がベターと考えています。

　ただし、急行券等の自由席型の料金券については、前述した発駅計算方式の欠点を生ずるおそれがないのみならず、着駅計算方式を採用すると同一料金地帯が長区間でもありますのでお客さまの負担感が増すことから、すべて発駅計算方式を採用しています。

〔旅客規則第249条〕

Q 206　乗車変更は、運送契約の一部又は全部の変更というが、計算方式に2通りあるということは「契約の変更」という概念に反しないか？

A「契約の変更」という概念に例えば発駅で購入したと同じ状態にす

る（→発駅計算）ことまでも含んだものとは解しにくく、計算方式は、変更を取り扱う場合の条件としてあらかじめ定めていれば足りると解せられます。また、方式そのものは、同一条件のもとで不公平な取扱いとならない等の常識的な範囲を逸脱しない限り、一つの方式に固定しなければならないとも思えません。

Q 207 乗越精算をした場合に、全乗車区間の通しの乗車券を購入するよりも運賃の総額が安くなったということが生じることがあるが、なぜか？

A 設問の事象は、「着駅計算」（打切計算）をした場合に発生します。乗越精算の計算方法が、すべて「発駅計算」であれば発生しません。「着駅計算」（打切計算）によりお客さまが支払う運賃の総額は、通しの乗車券を購入せず、原券の着駅で、分割して乗車券を購入する場合と同額となります。ＪＲの運賃は、営業キロが 11 〜 50 キロまでは 5 キロごと、51 〜 100 キロまでは 10 キロごとというように幅を持たせて区分し、運賃計算には、その区分の中間の営業キロを用いて計算します。そのため、途中の駅で分割して乗車券を買う場合に、通しの乗車券の運賃計算に用いる営業キロよりも短い営業キロにより算出する場合が生じ、これにより、運賃の総額が低廉となる場合があります。

　乗越区間が幹線・電車特定区間・山手線内等異なる賃率区間にまたがる変更や特定運賃が適用される区間にまたがる場合などにも、設問の事象が生じることがあります。

Q 208 原券蒲原から 200 円の金額式乗車券で富士〜横浜間を乗り越したときには 2,110 円を請求された（合計 2,310 円）。蒲原から戸塚までの乗車券（1,980 円）で横浜まで乗り越したら 230 円請求された（合計 2,210 円）。
同じ区間なのになぜ 100 円も違うのか？

蒲原　8.7 キロ　富士　105.3 キロ　戸塚　12.1 キロ　横浜
200 円区間＝ 7 〜 10 キロ　　蒲原〜横浜間 126.1 キロ　2,310 円

A 原乗車券によって乗越しの場合の計算方が異なるためです。
すなわち、前者の金額式乗車券は、営業キロ 100 キロ以内のものであるため、発駅計算方式により計算（2,310 円－ 200 円＝ 2,110 円）し、後者は原券が 100 キロを超えており、かつ、大都市近郊区間内相互発着でもないため着駅計算方式によることとしていますので、乗越区間の運賃（12.1 キロ分＝電車特定区間 230 円）を収受したものです。

Q 209 東京〜蒲田間の乗車券で石川町まで乗り越す場合は、原券が定期乗車券の場合 320 円収受。原券が片道乗車券の場合 350 円収受されるが、同じ区間を乗り越したのにおかしいではないか？

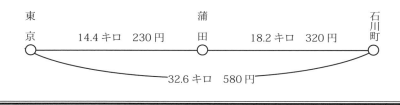

東京　14.4 キロ　230 円　蒲田　18.2 キロ　320 円　石川町
32.6 キロ　580 円

A 定期乗車券では乗車変更の取扱いを行わないため、別途乗車として

蒲田～石川町間の旅客運賃を収受し、原券が東京～蒲田間の片道普通乗車券の場合は乗車変更として発駅計算をするため、設問のような差異が生じます。この種事例は、発駅計算方式と着駅計算方式（別途乗車の取扱いを含む）とを一定の条件別に区分して使用しているため生じるものです。

〔旅客規則第249条〕

Q 210 自由席特急券（10月1日から有効、東京から営業キロ100キロまで）を所持する旅客が、
(1) 9月30日に、10月4日から有効に変更を申し出、変更した後、
(2) 10月3日に横浜から営業キロ200キロまでに変更を申し出た場合の取扱方は？

A (1) 10月4日から有効のものに乗車券類変更します。
(2) さらに10月3日に営業キロ200キロまでに変更する場合は、乗車券類変更はできないので、払いもどし手数料を収受して払いもどしをし、所要の特急券を発売します。

Q 211 Suicaグリーン券で乗越しをする場合は、乗越区間のグリーン料金は、きっぷの料金かSuica料金か？
また、Suicaグリーン定期券で、グリーン区間を乗り越す場合はどうか？

A 双方ともSuica料金を適用することとしています。

Q 212　乗越しの取扱いをする場合、手数料を収受すべきではないか（乗車変更をする場合はすべて手数料を収受してはどうか）？

A　乗車前に目的地までの乗車券類購入をお願いしていること、車内・着駅における精算体制の簡素化の面からも、手数料をとるべきとの意見がありますが、無札・別途との関連、発売体制等、それに伴う取扱上の種々の問題もまた多いと考えられます。

Q 213　指定券で乗り遅れ、自由席乗車の取扱いを受ける場合、最終列車が目的地まで行かず、その直後の寝台列車に短区間乗ると目的地に行くことができる場合でも、寝台列車の特急・寝台券を購入しないとダメか？

A　購入していただきます。
　指定券の乗り遅れ自由席乗車は、便宜的な取扱いであり、たとえ短区間であっても、特例措置を寝台列車まで拡大すべきではないと思います。

〔旅客基程第272条の2〕

Q 214　指定券を所持する旅客が、乗り遅れて当日中の自由席に乗車の取扱いを受ける場合、使用見合わせ払いもどし等との均衡上、相当の手数料を収受すべきではないか？

A　当日中の自由席という限定的なものであり、とくに手数料を収受しなければならないとも思えません。

> Q 215　一度乗車変更し、再度乗車変更する場合の有効期間の計算方は？

A　一般の乗車変更の有効期間の付与方を適用して算出します。原則は、原券の有効期間から経過日数（扱日当日不算入）を差し引いたものです。　　　　　　　　　　　　　〔旅客規則第246条、旅客基程第270条〕
（注）乗車券類変更は1回に限るとしており（Q190・192参照）、1回乗車券類変更したものをさらに乗車券類変更することはあり得ません。

> Q 216　定期乗車券の乗車変更はいっさい取り扱わないのか。同額区間（例・東京～神田を東京～有楽町に）の通勤定期乗車券を変更したいのだがだめか？

A　定期乗車券の設定趣旨（同区間を1ヵ月以上利用）からして認められませんが、設問のような場合、不要となる定期乗車券を旬単位で払いもどしする緩和規定を設けてあります。
　同距離のもののみ特例扱いとすることは、距離が同じでない場合との整合性がとれません。　　　　　〔旅客基程第61条の4・第337条〕

Q 217 以下のような定期乗車券の区間の変更の取扱方は？

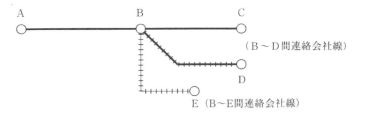

（1） A→CをA→B→Dに
（2） A→CをB→Dに
（3） A→DをB→Eに

A （1）A〜B〜D間が連絡運輸の取扱範囲ならば、同区間の定期乗車券を発売し、A〜B〜C間の原定期乗車券について旬割運賃による払いもどしをします。〔旅客基程第337条〕
（2）ＪＲ単独の定期乗車券を連絡会社線区間単独の定期乗車券に変更することはできませんので、原券を旅規第277条による任意払いもどし（残余の期間が1ヵ月以上あれば払いもどしの取扱い）し、連絡会社線区間の定期乗車券は、別途購入の案内をします。
（3）原券とは関係のない第三の運輸機関の定期乗車券に変更することはできませんので、（2）と同様に取り扱います。A〜B〜DをA〜B〜Eにする場合は、（1）と同様に取り扱います。

Q 218 定期乗車券の種類の変更とは具体的に何か？

A 通勤定期券を通学定期券に変更する場合などです。この場合は、原券を旬割で払いもどします。

> **Q 219** 継続の定期乗車券を 14 日前に買った場合で、旧定期乗車券の期限切れ前に区間の変更の申出があったときの取扱方は？

A 新しい区間の定期乗車券を購入していただき、これを確認のうえ、変更前の定期乗車券の残余の期間前有効期間が 1 旬あるときは、当該定期旅客運賃に対する旬割運賃とすでに収受した継続分の定期旅客運賃との合計額をは数整理した額から手数料 220 円を差し引いた額を払いもどします。

なお、残余の期間前有効期間分が 1 旬に満たないときは、既収額から 220 円を差し引いた残額を払いもどします。

〔旅客基程第 337 条〕

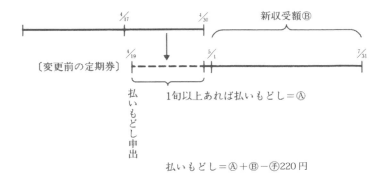

（お客さまの都合による払いもどしについては Q237 参照）

男体山をバックに日光線を走るE131系電車。鶴見線など首都圏でも活躍している

第7章
払いもどし

Q 220　出札払いもどしはどんな場合に行うのか？　また、改札払いもどしとの取扱上の相違点は？

A　「出札払いもどし」は、元来乗車券簿により処理するもので、買替えの考え方を導入したものです。払いもどし手数料は収受しません。

　乗車券簿は、出札収入事務の原始記録として、乗車券類の出納、収入整理及び発売報告に関する機能並びに収入調定等に関する機能を併用する帳票で、出札事務運用上きわめて重要な帳票です。現在は、ほとんどの箇所で端末装置によりシステム処理を行っています。

　出札払いもどしは、乗車券類変更の場合の過剰額払いもどし、団体の人員減少の場合で発行換えをして過剰額を払いもどしする場合等に行います。〔旅客基程第85条の2第3項第2号ウ・第255条の2等〕

　「改札払いもどし」は、お客さまの都合による払いもどしに代表されるもので、払いもどし日報（改札日報）により処理します。

　改札日報は、当日取り扱った不足運賃並びに改札補充券等の発行枚数とその改札窓口に設備した乗車券類の出納を審査担当箇所に報告するための帳票で、改札窓口で取り扱った収入の全貌を示すものです。こちらも現在は、ほとんどの箇所で端末装置によりシステム処理を行っています。

　改札払いもどしは、運行不能等のお客さまの責任とならない事由による払いもどしの場合のほかは、払いもどし手数料を収受することを原則としています。

〔旅客基程第61条の4第2号等〕

Q 221　割引乗車券をキャンセルした場合、割引証は返還してくれるか？

A　割引証は返還しません。　　　　　　　　　〔旅客規則第261条〕

Q 222　払いもどし請求権の行使期限を1年としているのは長すぎないか？

A　鉄道営業法第14条により、運賃償還の債権の消滅は1年と規定されています。旅規第238条もこの法律に基づき定めているものです。
　なお、民法の消滅時効「10年」の考え方からすると、運送という特殊な分野につき、むしろ短縮されているといえます。

Q 223　往復乗車券を購入し、失念して復路分を重複購入した。着駅で払いもどしを請求したら乗車駅に申し出るようにと断られたが？

A　旅行中止となるものを除き、原則として払いもどし箇所を限定していませんので、重複購入した乗車券について未使用であることを確認のうえ、着駅でも払いもどしの取扱いをします。
　　　　〔旅客規則第237条・第271条第1項・第274条第2項〕
　なお、旅行中止の取扱いは、旅行中止駅に限定しています。
　　　　　　　　　　　　　　　　〔旅客規則第274条第1項〕
※旅行中止の申し出証明をする場合もある。

Q 224　JR指定の旅行エージェントで発行した指定券の払いもどしを駅に申し出たら断られた。どうしてか？

A　指定券の払いもどし箇所については、駅員無配置駅など特別な場合を除いて、とくに限定しておらず、払い戻し準備金が無いような場合はやむを得ないとしても駅の取扱いは誤りです。

Q 225　駅で発行した一般の指定券を指定旅行エージェントの営業所に払いもどしの申出をしたら断られたが？

A　一般の指定券は、どこの発行のものであっても、一般の指定券を発売している営業所、営業支店であれば払いもどしの取扱いをすることとしています。　　　　　　　　　　〔委託規則第14条第4号〕

　逆に一般の指定券を発売していない営業所の場合には、払いもどしの取扱いはしません。

Q 226　旅客規則第239条の払いもどしをする場合の限度額、第240条の乗車変更した乗車券類の払いもどしをする場合の既収額とは具体的にはどういうことか？

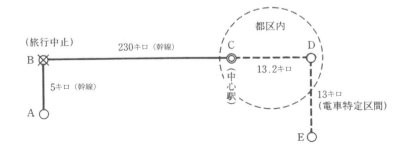

乗車変更の取扱いをする場合は、着駅計算方式と発駅計算（差額計算）方式の2通りの計算方を採用しており、乗車変更の後さらに収受又は払いもどしの計算をする場合、既収額を実際支払額とすると計算上かえって面倒な点が多いので、乗車変更後の乗車券を発駅で購入したものとみなす便法を採用しています。
〔旅客規則第240条、旅客基程第334条〕

　しかしながら、上図の例のようにA～C（都区内）間の乗車券を所持するお客さまが、Eまで乗り越す場合の収受額はD（出口の駅）～E間230円で、これを発駅で購入したとみなすと、全区間261.2キロ4,840円となり、このお客さまがB（A～B間190円）で旅行中止すると、

　4,840円－（190円＋㋤220円）＝4,430円

　が計算上の払いもどし額となり、実際の支払額

　A～C間4,070円＋D～E間220円＝4,290円

　よりも高額となるという矛盾が生じるため、この場合は、既支払額4,290円を限度とするというものです。　　〔旅客規則第239条〕

Q 227　旅客規則第274条で、使用開始後の普通乗車券の払いもどしは、未使用区間が101キロ以上を条件としているが、その理由は？
また、制限を撤廃した場合はどうなるか？

A かつては、日帰り困難な距離を標準とし、お客さまの故意による運賃払いもどしを防止する観点から301キロ以上のものとしていました。

　昭和45年（1970年）10月からこれをお客さまサービスの一環として51キロ以上に緩和しましたが、取扱上問題があったので、昭和55年（1980年）4月20日からは途中下車禁止を100キロまでと

した際に、あわせて制限　距離を営業キロ101キロ以上に引き上げたものです。

　制限の撤廃については、鉄道運輸規程からみても、そもそもその必要があるのかどうか疑問があり、また、制限を撤廃すると、取扱件数の増加、払いもどし手数料以下の払いもどし申出など係員の取扱事務増となるとともに不正払いもどし増の心配もあります。

　なお、運輸規程上は、①発行当日、改札前の場合、②改札後相当の座席がない場合、以外は、お客さまの都合による払いもどしはしないこととされています。　　　　　　　　　〔鉄道運輸規程第14条〕

Q 228 宇都宮－大宮－（川越線・八高線・中央本線経由）－金山～東京～大宮～宇都宮の連続乗車券所持客が名古屋まで区間外乗車し名古屋で下車、あらかじめ所持していた名古屋から東京までの新幹線回数券を使用し、大宮で旅行中止した場合の払いもどし額及び収受額（算式で可）は？

A

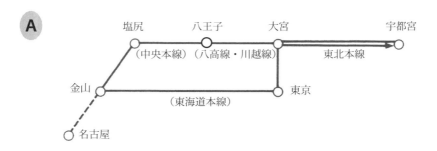

金山で旅行中止扱いとなり、以下のように計算します。
① 払いもどし額＝（連続乗車券全区間の既収額）－（宇都宮～大宮～八王子～塩尻～金山の片道旅客運賃）－ ㋳220円
② 収受額＝（金山～名古屋の片道旅客運賃）＋（浮間舟渡〔都区内の出口駅〕～大宮の片道旅客運賃）

Q 229 下関から東京都区内までの乗車券で、次の駅で任意旅行中止する場合の払いもどし額は？
（１）大阪経由天王寺
（２）新幹線で新大阪経由大阪

A（１）（下関〜東京都区内の既収額）−（下関〜大阪〔大阪市内〕）−㋥220円に相当する額の払いもどしをし、大阪〜天王寺間別途収受します。〔旅客規則第274条、旅客基穽第273条〕

（２）（下関〜東京都区内の既収額）−（下関〜在来線経由大阪〔大阪市内〕）−㋥220円 〔旅客規則第88条・第274条〕

Q 230 乗変した後、旅行中止した場合の払いもどし方は？（C地点で、旅行中止の場合。）

(1)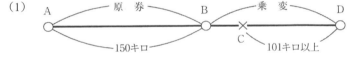

(2)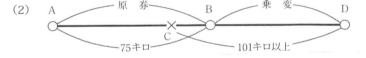

(3)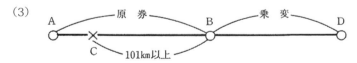

A（1）（A〜D）−（A〜C＋㋥220円）

（２）乗車変更したため残余の区間が営業キロ101キロ以上となったので、払いもどしはできません。

（3）（A～D）−（A～C＋手220円)

〔旅客規則第274条第1項、旅客基程第334条〕

> **Q 231** 学割乗車券を区間変更した後、
> （1） aで任意旅行中止する場合
> （2） 発駅まで無賃送還して払いもどす場合の旅規第240条の適用方とその払いもどし方は？
>
>

A（1）旅行中止の場合

（A～C間の収受額）−（A～a間無割引旅客運賃＋手220円）

〔旅客基程第334条〕

（2）無賃送還の場合

既収額（A～B間学割運賃＋B～C間無割引旅客運賃）の全額

〔旅客規則第284条第2項〕

Q 232 旅客規則第70条に規定する東京付近の経路特定区間を通過する普通乗車券を所持し、旅行開始後に方向の変更をする場合の具体的な取扱方は？

（1） 三島～我孫子間（日暮里経由、157.8キロ、2,640円）の普通乗車券を所持し、東海道本線経由で東京まで乗車後、東北本線尾久・赤羽経由で乗車し、着駅を小山駅に変更する場合の取扱いは？

（2） 大原～那須塩原間（錦糸町・秋葉原経由、250.8キロ、4,510円）の普通乗車券を所持し、京葉線経由で東京まで乗車後、着駅を平塚に変更する場合の取扱いは？

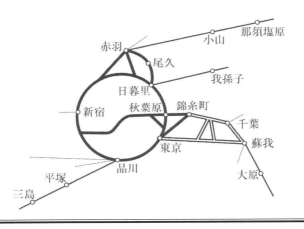

A（1） 旅客規則第70条第1項に規定する東京付近の経路特定区間を通過する普通乗車券の方向の変更です。旅客規則第70条第1項に規定する東京付近の経路特定区間を通過する普通乗車券で、旅行開始後に同区間内の駅を変更開始駅として同区間外にまたがる区間変更をする場合は、旅客運賃計算上の同区間の入口の駅を変更開始駅として扱います。　　　　　　　　　〔旅客規則第250条第2項〕

設問の場合、実際乗車経路上の変更開始駅は日暮里駅ですが、旅客規則第70条第1項の経路特定区間の旅客運賃計算上の入口の駅は品川駅となりますので、品川駅を変更開始駅として扱い、品川〜我孫子間（日暮里経由）の旅客運賃と品川〜小山間（赤羽経由）の旅客運賃を比較し、不足額を収受します。

　　原券の不乗車区間　品川〜我孫子間（43.9キロ、740円）
　　変更区間　　　　　品川〜小山間（87.4キロ、1,520円）
　　収受額　　　　　　　　　　　　　　　　　　　780円

（2）旅客規則第70条第2項に規定する東京付近の経路特定区間を通過する普通乗車券の方向の変更です。ただし、原券の不乗車区間の距離が100キロを超えるため、①方向の変更として扱う方法と、②原券の不乗車区間を払いもどしし別途収受する方法の2つの取扱方があります。

① 方向の変更として扱う方法

　原券は、大都市近郊区間内相互発着の普通乗車券で、変更後の着駅も同じ大都市近郊区間内の駅ですから、既に収受した旅客運賃と実際乗車区間の旅客運賃とを比較し、不足額は収受し、過剰額は払いもどしをしません。

　　設問の場合は、
　　・原券（大原〜那須塩原間）　　　　4,510円
　　・変更後の乗車区間（大原〜平塚間）　3,080円
　　原券の過剰額は払いもどししません。

〔旅客規則第249条第2項第1号ロ〕

② 原券の不乗車区間を払いもどしし別途収受として扱う方法

　原券の不乗車区間が100キロを超える場合は、区間変更の変更開始駅を旅行中止駅として、不乗車区間については、旅行開始後の旅客運賃の払いもどしとして扱い、変更開始駅から着駅までの区間の旅客運賃を別途収受します。　　　　〔旅客基程第273条第1項〕

旅客規則第70条第2項に規定する経路特定区間通過の特例の適用のある普通乗車券で、旅行開始後に同区間内の駅を変更開始駅として同区間外にまたがる区間変更をする場合、運賃計算上の変更開始駅（旅行中止駅）は、実際乗車経路上の変更開始駅が、
　　a　旅客規則第69条第1項第5号の特定区間内の場合は、当該特定区間内の分岐駅
　　b　旅客規則第70条第1項の特定区間内の場合は、同区間内の旅客運賃計算経路上の入口の駅
として取り扱います。

〔旅客規則第250条第3項〕

　設問の場合、実際乗車経路上の変更開始駅は東京駅ですから、bにより特定区間の入口の駅（錦糸町駅）を運賃計算上の変更開始駅として扱い、不乗車区間は、錦糸町～那須塩原間（既に乗車した区間：大原～錦糸町間91.6キロ、1,690円）、別途収受区間は、錦糸町～平塚間（68.6キロ、1,170円）となります。

　　・原券の払いもどし4,510円－1,690円－㋷220円＝2,600円
　　・別途収受運賃　　　　　　　　　　　　　　　1,170円
　　　払いもどし額　　　　　　　　　　　　　　　1,430円

お客さまには、1,430円が払いもどされますので、①（方向の変更）により取り扱うよりもお客さまに有利となるため、原則として、②（不乗車区間の払いもどしと別途収受）により取り扱います。

　原券が旅客規則第70条に規定する東京付近の経路特定区間を通過する普通乗車券であっても、東京近郊区間内相互発着の場合で、かつ、変更後の着駅も同近郊区間内の駅である場合、区間変更は「発駅計算」により計算しますので、変更開始駅を特定せず取り扱うことは可能ですが、設問の例（2）のように、変更開始駅を特定し、不乗車区間について任意の払いもどしをする方がお客さまに有利となる場合がありますので、確認が必要です。

Q 233　旅行開始後、途中で団体構成人員を割った場合の払いもどしは？

A 払いもどしいたしません。　　〔旅客基程第333条第2項第2号〕

Q 234　団券の払いもどしは払いもどし人員ごと、割引の普通回数乗車券については払いもどし券片数に相当するそれぞれの手数料を収受することとし、他の払いもどし条件の緩和はできないか？

A 団体乗車券の場合でも、指定料金については、各別に手数料を収受しているので、人員ごとあるいは券片ごとの手数料とすることは不可能なことではなく、取扱いコスト等を考慮すると各別に収受した方が望ましい点はあります。未使用の普通回数乗車券を払いもどしする場合の手数料も、使用開始後の普通回数乗車券の残余の券片を払いもどしする場合の手数料も、券片数にかかわらず1個（1回の払いもどしに対する）手数料としています。払いもどし条件の緩和についてさまざまな要望が寄せられるでしょうが、実務上の問題等、総体的に検討する必要があると思います。

Q 235　定期乗車券の払いもどしの場合、月割、旬割、日割で払いもどす場合の区分の考え方は？

A （1）月割……お客さまの都合による払いもどし
　　　　　　　　　　　　　　　　　　　〔旅客規則第277条〕
　（2）旬割……お客さまの都合による区間・種類の変更による買替え
　　　　　　　　　　　　　　　　　　　〔旅客基程第337条〕

　　　　お客さまの死亡　　　　　　　　　〔旅客基程第339条〕
　　　　紛失後重複購入となった場合　　　〔旅客基程第319条〕
　（3）日割……お客さまの都合によらない事由の場合（事故、駅の
　　　　移転・廃止等）〔旅客規則第288条、旅客基程第336条〕

Q 236 通学定期乗車券の有効期間が4月24日までであるが、3月で卒業した。払いもどすか、そのまま使うことができないか？

A （1）　有効期間が1ヵ月以上残っていれば払いもどしの対象となります。　　　　　　　　　　　　　　　　　〔旅客規則第277条〕
（2）卒業月中（3月中）は証明書（学生証）の携帯を前提に使用可能ですが、4月1日以降は使用できません。
　　　　　　　　　　　　　　〔旅客規則第170条、旅客基程第53条〕

Q 237 定期乗車券の有効期間が切れる14日前に、継続の定期乗車券を買った場合に、旧定期乗車券の期限切れ前の払いもどしは？

A 新規定期を使用開始前の払いもどし（既収額は券面表示額＝新規契約分）として取り扱います。
（区変申出の場合はQ219参照）

Q 238 使用開始後の割引普通回数乗車券の払いもどしはできるか？　できるとしたら払いもどし額の計算方は？

A 払いもどしできます。
　払いもどし額の計算方は、次の例のとおりです。

〔例〕 大人片道普通旅客運賃160円区間の身体障害者割引の普通回数乗車券を4券片使用後に払いもどす場合（お客さまの死亡の場合を含む）
800円（割引の普通回数旅客運賃）－（80円×4）－220円
（手数料）　　　　　　　　　　　　　　　＝260円
〔旅客規則第277条の2、旅客基程第335条の2〕
なお、駅の移転、廃止等お客さまの責任とならない場合は、次の計算方になります。
800円（割引大人普通回数旅客運賃）×7（残券片数）÷11（総券片数）
＝510円（・は数整理）
〔旅客規則第288条〕

Q 239　急行・グリーン券（A）又は急行・寝台券を払いもどす場合の払いもどし手数料は？

A グリーン券（A）又は寝台券に対し、340円又は3割の払いもどし手数料を収受します。（急行券については、手数料は収受しません。）
〔旅客規則第273条第4項〕

Q 240　大人と小児とが特急列車の1個の寝台を同時に使用することとしていた場合で、小児が旅行をとりやめたときの特急券の払いもどし手数料は？

A 2人で1個の寝台を使用する際、寝台券と同時に発売せずに一方の旅客に発売する特急券は自由席特急券ですので220円です。
〔旅客規則第57条第1項第1号ハ・第272条、旅客規程175条〕

> **Q 241　設備定員が2人の寝台個室を大人1人で占有使用する特急・寝台券を、旅行開始日の前日に払いもどしする場合の払いもどし手数料は？**

A　設備定員が複数の寝台個室の特急・寝台券を前日以降に払いもどしする場合は、設備定員分の寝台料金の合計額の3割です。
（注）補助寝台を使用する場合は、補助寝台料金も含めて計算します。
〔旅客規則第237条の3第4項〕

> **Q 242　指定席券（通称「ゼロ円券」「指のみ券」）の交付を受けた指定席特急券のうち、指定席券を紛失した旅客から指定席特急券の払いもどし申出があった場合、所定により払いもどししてよいか？**

A　払いもどしはできません。
　指定席券を交付した指定席特急券は、当該指定席券とともに使用する場合に限って相当の指定券とする〔旅規第147条第3項〕こととしており、したがって、指定席券を紛失したものは指定席特急券の本体部分が残っているとしても、所定の特急券とはみなされません。
　指定席券を交付した指定席特急券は、指定席券部分に乗車日・発時刻の表示があり、これがないと有効・無効の判別、払いもどし額の算出も不可能です。

> **Q 243　ホテル等に比べ、指定券のキャンセル料は安すぎないか？**

A　比較対象として不適当と考えます。比較するのであれば、同種の航空機、私鉄等と比較すべきでしょう。

Q 244 払いもどし手数料体系は複雑すぎるので、旅客運賃・料金別の区分でなく、1券片に対する手数料として一律にできないか？

A できません。指定券の払いもどし手数料等を考えると、むしろ、一律にすべきでないと思います。

Q 245 最終列車に乗り遅れたとき、次に掲げる乗車券の取扱方は？
（1）発行当日限り有効の乗車券
（2）有効期間の最終日の乗車券
（3）「青春18きっぷ」

A（1） 翌日までの有効期間の延長の取扱い又は手数料220円を収受して払いもどしの取扱いをします。　　　　〔旅客規則第280条〕
（2） 使用見合わせ又は旅行中止により、払いもどしの取扱いができるものであるときは払いもどしをします。また、旅行開始前のものであれば有効開始日を変更する乗車券類変更も可能です。
（3）「青春18きっぷ」は、旅行を開始した当日中に乗車を完了することを条件に発売している企画乗車券であり、当然無効となります。

リゾート地伊豆半島と都心を結ぶ全車両グリーン車の特急「サフィール踊り子」

第8章
その他の特殊取扱い（不正・紛失等）

Q 246 鉄道運輸規程第19条には「増運賃」と規定されており、「増料金」部分の収受は省令違反ではないか？

A 鉄道運輸規程は、運賃と料金を明確に区分しておらず、条文ごとに料金を含むかどうか判断すべきです。第19条の「増運賃」とは、料金を含む運送等に係わる対価すべてと解すべきとされています。

Q 247 増運賃・増料金はなぜ2倍か（バスは同額）？ 10倍ぐらいにしてきびしくとりたてられないか？

A 鉄道運輸規程第19条により2倍以内の増運賃を収受することとしており、罰則的経済負担額としてそのまま適用しています。加重することは省令違反となり、できません。
〔鉄道営業法第18条、鉄道運輸規程第19条〕
なお、バスの増運賃は、普通運賃と同額とされています。
〔道路運送法第28条〕
また、特殊な例として、新幹線を使って荷物の無賃運送等を図った場合は通常の小荷物運賃を3倍したものを相当小荷物運賃とみなす〔旅規第314条の2〕規定や、持込禁制品を持ち込んだ場合は10倍の増運賃（小荷物運賃）を収受する〔旅規第312条第1項第1号〕規定があります。

Q 248　ＪＲの降車口で私鉄の社員証明書（乗車証）により乗車してきた旅客を発見した。処理方は？
また、乗車口で発見した場合はどうか？

A 旅規第 265 条第 2 項により、無効定期乗車券に準じた処理をすることとなっています。

　乗車口でも同じで厳正な対応をしています。

Q 249　往復乗車券の復片を紛失し、往片だけを所持している場合の取扱方は？

A 往片は、そのまま使用できます。

　なお、復路は別途に片道乗車券を購入していただき、着駅で再収受証明を受けることとなります。　　　　　　　〔旅客規則第 268 条〕

Q 250　定期乗車券を紛失し、新規に定期乗車券を購入し使用しているうちに、紛失した定期乗車券を見つけた場合の取扱方は？

A 新たに購入した定期乗車券について申出日の翌日以降分（全期間ではありません）の旬割による払いもどしの取扱いをします。

〔旅客基程第 319 条〕

払いもどし額＝既収額－（日割額× 10 日×経過旬数）－㋣ 220 円

　　　　　　　　　　　　　↓
　　　　　　1 旬未満のはしたは 1 旬とします。

Q 251 定期乗車券紛失の場合、一般の乗車券類紛失の取扱いを準用しないのはなぜか？

A 定期乗車券は、利用回数を制限していないことから、日割ないし1回ごとの払いもどしの取扱いになじみにくいので、一般の乗車券類の制度を適用していません。また、「紛失」の事実を客観的に証明することが困難であることもその理由です。
（注）Suica、PASMOなどのIC定期乗車券には紛失再発行のサービスがあります。

Q 252 指定券を紛失した旅客がその列車名、号車、席番を記録していた場合の取扱方は？

A 席番等を何らかの方法で記録してあったとしてもそのまま指定券の再発行はできません。別に指定券を購入していただき、同一列車の場合、着駅において再収受証明を受けることとなります。

〔旅客規則第268条〕

（注）指定券の場合、再収受証明があっても、同一列車のものでないと払いもどしの取扱いはしません。

Q 253 無札証明書は出さなければならないのか。その根拠は？また、様式（名称も含めて）がバラバラで取り扱いにくいが統一できないのか？

A 無札証明書は、あくまでも緊急避難的取扱いとして、無札での乗車を便宜的に証するものです。JR各社において係員の確認を容易にする等取扱いをスムースにするため適宜決めているものであり、正規の

帳票として使用するものでもないので、とくに統一する必要があるとも思えません。

> **Q 254** 日変わりの特急寝台列車の特急・寝台券を係員が間違って発売したが、マルスの稼働時間外の申出の場合はどうするのか？

A 指定席管理箇所等定められた箇所に連絡のうえ、空席があれば特別補充券等により発行するなど、最大限お客さまの申出に添うよう対処しなければなりません。

> **Q 255** 指定学校に「外国人学校」や「予備校」まで入れるのは拡大しすぎ、対象を厳格にすべきでは？

A 学校教育法上の設立許可を受けた学校（各種学校・専修学校であって、同法の目的に合致した学校）であって、かつ、学校指定規則第3条に規定する指定基準に合致し、関係のJR各社の支社長等が適当と認めれば、指定することとしています。（Q 89 参照）

> **Q 256** （1）旅行エージェントでクレジットカードにより購入した乗車券類について、乗車券類変更を含めた乗車変更の取扱いを駅でできないか？
> （2）旅行エージェントが閉店している間の払いもどしはどうか？

A （1）駅又は車内でも取り扱いますが、一般の乗車変更と異なり次のような取扱方としています。
　a　不足額があれば現金で差額を収受します。

 b 過剰額が発生する場合は、乗車変更の取扱いをしないで、別途旅客運賃・料金を収受して新たに乗車券類を発売し、原券は当該原券発行エージェントで払いもどしの取扱いを行います。
(2) 現金による払いもどしはできませんが、お客さまにとって払いもどし条件が不利になるような場合は、席番を取消しのうえ証明をし、後刻購入箇所で払いもどしを受けるよう案内します。
(注) クレジットカードにより購入した乗車券類は、購入箇所でも現金による払いもどしは行っていません。

飛騨川の景観を楽しめる高山本線の特急「ひだ」は新型HC85系

第9章
事　故

Q 257 割引乗車券を所持する旅客が、事故等のため旅行をとりやめた場合、割引証は返還するのか？

A 返還しません。　　　　　　　　　　　　　　〔旅客規則第261条〕

（注）戦傷病者の場合、旅行開始前の旅行とりやめのときは、旅行取止証明書の交付を受け、別途引換証の再交付を受けられることとなっています。
〔戦傷病者規則第16条〕

Q 258 事故時において「たき出し」とか、「列車ホテル」を行っている例があるが、その根拠は？

A 鉄道運輸規程第17条に「天災事変其ノ他已ムコトヲ得ザル事由ニ因リ列車ノ運転ヲ中断シタルトキハ鉄道ハ旅客ニ対シ相当ノ便宜ヲ与ヘ」となっており、また、輸送機関として列車ホテル、臨時電車の運転等、できうる限りの便宜を図るのは当然です。

　ただし、タクシー代行については、的確・厳密な状況判断に基づくべきで、状況に応じ、他に代行手段が無い場合に限定的に取り扱うこととしています。

Q 259 運行不能・遅延時の取扱いの基本的な考え方は？

A 運行不能・遅延時の取扱いは、①運行不能か、遅延か、②旅行開始前か、旅行開始後か——によって取扱いが異なり、それぞれの場合において、あらかじめ定めた取扱いから、お客さまに一つを選択してい

ただくというものです。

　主な取扱いは次のとおりです。

運行不能・遅延時の取扱い

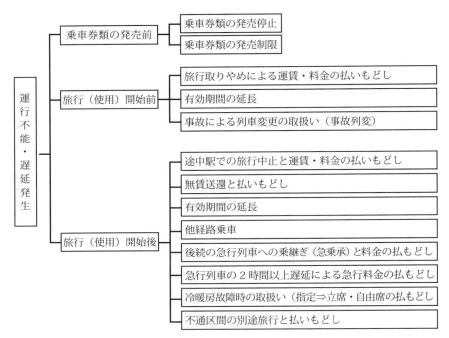

（注：［事故列変］と「急乗承」については、Q 267 参照）

Q 260 東京都区内発仙台市内着の乗車券を所持する旅客が、品川駅から旅行を開始したが、上野駅に着いたところで、東北本線が不通ということで上野駅で旅行をあきらめた場合の払いもどし方は？

A

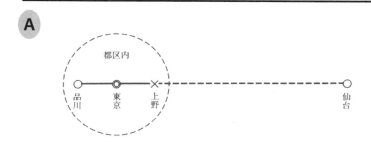

　前途区間「上野〜仙台間」＝「都区内（東京）〜仙台市内（仙台）間」の払いもどし（したがって、この場合には収受額全額）をします。

〔旅客規則第282条の2〕

Q 261 運行不能の場合、無賃送還するにも列車がなかったときはタクシーを使ってでも無賃送還するのか？

A 無賃送還の取扱いは「最近の列車」としており〔旅規第284条〕、タクシーによる送還は考慮していません。

Q 262 仙台 →㊾→ 東京 →サンライズ瀬戸→ 高松 →うずしお3号→ 徳島

という乗車券、特急券を所持する旅客に対する取扱方について、

(1)「サンライズ瀬戸」は定時で高松に到着したが、事故で特急「うずしお3号」は運休した。仙台まで無賃送還を希望した場合、「サンライズ瀬戸」「㊾」の特急券は、払いもどしとなるか？

(2)「サンライズ瀬戸」は定時で運行中であったが、途中、岡山で、瀬戸大橋線は不通という車内放送があり旅客は下車し、無賃送還を要望したが、認められるか？「㊾」及び「サンライズ瀬戸」の特急券は、払いもどしできるか？

(3) 東京で同様の場合、「サンライズ瀬戸」と「㊾」の特急券は？

A (1) 払いもどしできません。特急券等の料金券は、乗車列車ごとにその全部又は一部を乗車できなかったとき又は使用できなかったときに限って払いもどすこととしています。

〔旅客規則第284条第2項・第282条の2〕

(2) 途中下車していなければ発駅（仙台）まで無賃送還します。「サンライズ瀬戸」の特急券と「うずしお3号」の特急券を払いもどしします。 〔旅客規則第284条・第289条・第282条の2〕

(3)「サンライズ瀬戸」の特急券と「うずしお3号」の特急券を払いもどしします。

(注) 無賃送還による旅客運賃の払いもどしについては、(1)～(3)いずれの場合も、途中下車していなければ、全額払いもどします。途中下

車をしていたときは、途中下車駅〜着駅間に対する旅客運賃を払いもどしします。

> **Q 263** 不通区間が生じたときに、後もどりして大きな駅で開通を待ち、そこから旅行を開始したいという申出があった場合、そこまで無賃送還が可能か？

A 可能です。また、この場合、有効期間延長の取扱いもあわせて行うことができます。
〔旅客規則第284条第1項、旅客基程第358条の2〕

> **Q 264** 運行不能の場合、定期乗車券ではなぜ5日以上連続して不通でないと払いもどししないのか？

A 定期乗車券は、他の乗車券と運賃構成や有効期間等が異なり、また、有効期間内の使用回数も制限していませんので、運行不能の場合でも有効期間の延長又は旅客運賃の払いもどしを直ちに行うことは不適当と考えています。

運行不能の期間が長期にわたる場合には何らかの対策が必要であり、引続き5日以上使用できなかったときに有効期間の延長ないし払いもどしの取扱いをすることとしたものです。〔旅客規則第288条〕

> **Q 265** 定期乗車券を使用開始後3日目に不通区間が生じ、1週間後開通したとき定期乗車券が不要になった場合の取扱方は？ また、不通中に不要になった場合の取扱方は？

A 旅基第327条の規定を適用し、3日間使用したものとしての払いもどしをします。

Q 266　急行列車遅延払いもどしの場合の２時間という根拠は？

A 急行料金の性格の基本がスピード料金であることから、その使命を果たさないとする基準を沿革的に２時間としているものです。この場合、その払いもどし基準時間は、運転区間（時間）あるいは特急・普急によって一律には考えられないとする意見もありますが、所要時間ごとに異なった取扱いとすることは払いもどし事務上煩瑣（はんさ）となり、実態を勘案のうえ一律２時間としているものです。

〔旅客規則第 289 条第 1 項〕

Q 267　事故時の取扱いで「急乗承」、「事故列変」という用語を聞くが旅客規則にはない言葉である。どういう意味か？　また、両者の取扱いに関連性があるのか？

A (1)「急乗承（きゅうじょうしょう）」、「事故列変（じこれっぺん）」とも旅客規則では使用していません。旅基第 369 条第 1 項第 1 号に「何月何日何列車急乗承」、同第 371 条第 2 項第 3 号に「事故列変」という表現があり、旅客基程上は、使用例があります。

(2)「急乗承」は、「(後続の) 急行列車乗車承認」の略ともいえるもので、旅客規則第 289 条の急行列車の運行不能・遅延等の場合の取扱方です。意味するところは、乗車した急行列車が運行不能又は遅延した場合等に、別に急行料金を収受しないで、同一方向の後続の急行列車に乗車の取扱いをし、所持する急行券（運行不能等となった列車のもの）については、全額払いもどしの取扱いをすることです。

(3)「事故列変」は、「事故による列車変更扱い」の略ともいえるもので、乗車券類変更の特例扱い的なものです。

　使用開始前に運行不能等の事由により所持する指定券が使えない場

合、原指定券に表示された列車等の乗車駅の出発日と同日に出発する他の列車等に変更の取扱いをし、過剰額は払いもどしをしますが不足額は収受しません。また、指定席特急券を所持する場合で、満席のためやむを得ず立席又は自由席特急券に変更の取扱いをするときは、原指定券の特急料金の半額を払いもどすこととしています。

（注）現実の運用場面では、原券でそのまま乗車後着駅で半額の払いもどしを行うことが通例です。

（4）両者の取扱いは、「急乗承」は乗車後で指定券に限っていない（自由席特急券でも扱う等）が、「事故列変」は乗車前であり、指定券に限っての取扱いということで関連性はありませんが、あえていえば、いずれも事故時の特殊取扱いの一種であるということです。

「急乗承」と「事故列変」の取扱いをまとめると、次のとおりです。

	急 乗 承	事 故 列 変
根拠規定	旅客規則第289条	旅客規程第371条
状　況	旅行開始**後**	旅行開始**前**
対象の輸送障害	**急行列車**の運行不能・遅延（2時間以上）	**列車**の運行不能・遅延
対象のお客さま	運行不能・遅延列車に**乗車中のすべて**のお客さま	運行不能・遅延列車の**指定券**を所持するお客さま
取　扱　方	①及び②の取扱いをする。 ① 後続の急行列車により旅行を継続させる。 ② すでに収受した急行料金・グリーン料金は全額払いもどしする。	①・②いずれかの取扱いをする。 ① 当日中の他の指定券に変更し、過剰額は払いもどしし、不足額は収受しない。 ② 原券が指定席特急券の場合で、変更後の列車が満席のために自由席になったときは、既に収受した特急料金の半額及びグリーン料金又は寝台料金の全額を払いもどしする。

Q 268　「急乗承」で、後続の急行列車に乗車した場合、原列車の到着時刻から2時間以上遅延していなければ急行料金の払いもどしをする必要はないと思うが？

A　乗継乗車という契約変更をお客さまに強いていること、後続列車では座席確保が困難な場合が多いこと、こういう例の場合は当初の到着時刻から2時間以上遅延することが多いこと等から、取扱いの簡便を図って急行料金の払いもどしをすることとしています。

〔旅客規則第 289 条〕

Q 269　事故の際、寝台を朝6時まで使用したときには寝台料金の払いもどしをしないとしているが、通常7時までは寝台として使用しているのだから、旅客にとって酷ではないか？
　　　　また、発駅から半分程度ししか運転せず途中駅で抑止しても、朝6時まで使用すれば寝台料金は払いもどしされないのか？

A（1）6時まで使用すれば、寝台の用に供したとして払いもどしはしません。
（2）寝台料金自体に場所的移動の概念はありませんので、設問の場合であっても、払いもどしの対象とはなりません。

〔旅客規則第 282 条の 2 第 4 号〕

Q 270 並行する在来線の特急列車が遅延し、新幹線に便宜乗車させたときは、在来線の特急料金の払いもどしをし、新幹線は別途購入させるというすっきりした方法をとらないのか？

A 設問の場合、旅基第369条第3項によりJR各社の本社等の責任者の指示により新幹線への便宜乗車を取り扱っており、在来線の原到着時刻から2時間以上遅延しない場合は原特急券の払いもどしをしないこととしていますが、これは、新幹線の速達性を利用して、列車遅延時におけるお客さまの利便を図るとともに、払いもどし再購入という事務煩瑣(はんさ)を避けた取扱いとしているものです。

Q 271 JRに帰責事由がない場合（き電線に凧(たこ)がひっかかった等）、急行列車が2時間以上遅延したからといってなぜ払いもどさなければならないのか？

A 鉄道運輸規程第17条の設定趣旨（Q 258参照）を生かすとともに、原因が単純明快でない場合も多く──例えば、第1原因は明らかでもそれがすべての列車遅延の原因になるとは限りませんし──、また、事故時の大量簡便処置の観点からも現行処理方とせざるを得ないと思います。

〔鉄道運輸規程第17条等〕

Q 272 八戸駅から東京駅までの新幹線指定席特急券を所持する旅客の乗車した列車が、大宮〜東京間の送電事故のため大宮駅で運休となり、大宮駅から在来線に乗り換えて上野駅まで乗車した、この場合の払いもどし額は？

A 東北新幹線の大宮〜東京間で運行不能が発生した場合に、新幹線の全線で運転ができなくなるという状況をできるだけ回避するために、大宮駅での打切り・折返し運転を速やかに実施することが必要となっています。そこで、これまでも、終着駅に近く、列車の打切り・折返しが可能な品川駅（在来線）及び上野駅（新幹線）において前途の運転を打切りした場合には、品川駅又は上野駅を下車駅として取り扱い、原券に対する急行料金又は特別車両料金とすでに乗車した区間に対する急行料金又は特別車両料金とを比較して、過剰額を払いもどしすることとしていましたが、大宮駅で列車の運転を打ち切った場合にも、料金の差額払いもどしとなることを、あらかじめ契約内容として旅客営業規則に定めることとしたものです。

　東北・上越・北陸新幹線で東京に向かうお客さまが大宮駅まで乗車できれば、大宮から東京方面へは在来線の宇都宮線、高崎線、京浜東北線、埼京線があり、ほぼ運送債務の本旨に従った履行を果たしたとみなすことができることから、料金に過剰額がある場合にのみ払いもどしをすることとしました。　　　　　　〔旅客規則第290条第2項〕

〔例〕八戸〜東京のはやぶさ号の新幹線指定席特急券を所持するお客
　　さまが大宮駅で下車した場合
　　特急料金（通常期）の払いもどし額＝
　　6,800円（八戸〜東京）－6,590円（八戸〜大宮）＝210円

Q 273 連絡会社線等の事故で、目的の列車等に乗車できなかった場合の取扱方は？

A ＪＲ各社の支社長等の判断において、ＪＲ線の運行不能時の取扱いに準じて取り扱うことができることとしています。

〔旅客基程第354条〕

Q 274 冷暖房故障のときの取扱いは？

A 急行列車の冷暖房故障時の取扱いについては、指定席か自由席か、指定席の場合は他の指定席を充当できたか、当該車両で旅行を継続したか──ということを観点として払いもどしの取扱方を定めています。過去は、禁煙・喫煙の区分にも配慮した取扱いをしていました。

〔旅客基程第369条の3、部内規程〕

原券	変更後		旅基第369条の3 払いもどし
指定席	指定席	他の指定席を充当	なし（充当した指定席で過剰額があるときは差額払いもどし）
		当該車両で旅行継続（そのまま乗車）	全額払いもどし
	自由席	自由席車両で旅行	全額払いもどし
自由席	自由席	他の自由席で旅行	なし
		当該車両で旅行継続（そのまま乗車）	全額払いもどし

Q 275 指定席の重複発売により、車内で指定された座席に着席できなかった場合の取扱いは？

A 他の指定席を充当します。指定席を充当できない場合は、指定席特急料金、グリーン料金、寝台料金、コンパートメント料金、座席指定料金の全額を払いもどしします。過去は、禁煙・喫煙の区分にも配慮した取扱いをしていました。　　　　　　　　〔旅客基程第370条〕

Q 276 首都圏では輸送障害が発生すると他の鉄道会社線への振替輸送を実施するが、その際、以前は振替票が無ければ利用できなかったが最近はそのまま他社線に案内されることが多い。何か変わったのか？

A 首都圏で連絡運輸を行っている鉄道会社相互間では、輸送障害が発生した場合に振替輸送（他社線を経由した他経路乗車）を実施し、代替ルートの利用を案内しています。

　従前、振替輸送を実施する場合は輸送障害発生会社で乗車券を確認のうえ「振替票」を交付し、それにより他社線の利用を案内していました。しかしながら、輸送障害時には振替票の配布や案内対応で大変な混雑となること、利用者が輸送障害の情報を事前に知っても、「振替票」が無いと直接他社線の駅から乗車できないなど不満も多く、「振替票」に拠らない振替輸送への見直しを関係社局間で検討のうえ実施しました。

　現在では、「振替票」が無くても（必要に応じて配布することもありますが）、他社線への振替輸送が利用できるようになっています。
（注）SuicaやPASMOなどICカードで乗車した場合は、振替輸送の利用はできません。これは、ICカードシステムが降車駅で自動改札機を通過

することで乗車区間と運賃が確定し、この時点で運賃収受が行われるシステムであるからです。

最新の新幹線はE8系「つばさ」。300キロでの走行も可能

第 10 章
入場券、手回り品等

Q 277 初乗り運賃区間の乗車券を入場券がわりに使用させるとした場合、何が支障するのか？

A 入場券制度と併用するとすれば、区間変更の場合に入場券として購入したかどうかの振り分けができず、本来の入場券を所持するお客さまとの関連で取扱上の不公平感が生じることとなります。

　また、異常時の入場制限や、社内的には入場料金と旅客運賃とは勘定科目が異なり統計上の問題があります。

Q 278 入場券ではどうして車内に入ってはいけないのか？

A とくに出発間際のドア付近の混雑防止、誤乗の防止を図るためです。

Q 279 定期乗車券は入場だけの目的に使用できないというが、支障することは？

A 定期乗車券を含む乗車券は、乗車用として設定したものであり、入場券とはその設定目的が異なります。また、事故時の入場制限等の取扱いも考慮したものです。

Q 280 初乗り運賃と入場料金を一致させている理由は？

A 沿革的なもの以外特段の理由はありません。ただし、初乗り運賃区間の乗車券を購入し、入場券代用として意図的に使用されうることを

考えれば、実務上、初乗り運賃は入場料金と同額か高いことが望ましいとはいえます。

なお、戦前においては、駅により入場料金に差を設けていた時期もあり、現行でも連絡会社線との共同使用駅の一部においては異なった入場料金を適用している例もあります。　〔旅客基程第381条の4〕

Q 281　途中下車前途無効の乗車券の区間内の途中駅で新幹線ホームに入場する場合、所持する乗車券は回収されるのか？

A　途中下車に該当しないので、前途区間を乗車する場合は、回収しません。ただし、入場券は別途購入していただくこととなります。

（注）この種事例に関連した不適切な使用事例も聞きますので、入場券発行の際、当該乗車券を一時預かっておく等の適宜の措置を考慮することも必要でしょう。

Q 282　一部の駅で実施している制限使用時間を超えた場合の入場料金の収受方は？

A　超過使用時間を制限使用時間で除し、小数点以下を切り上げたものを普通入場料金に乗じて収受します。

具体的には、2時間の制限使用時間を超えた時間に対して、2時間までごとに入場料金を加算します。　〔旅客規則第300条第1項〕

なお、入場券に使用時間を設けたのは、入場券の目的である送迎を考えれば2時間は十分な時間であること、そして入場券を使用した不正乗車が多く発生していたことによります。

Q 283　入場料金は大人・小児同額としたら？

A　入場料金は、駅における秩序維持ないしお客さま及び送迎のお客さまの便宜確保に要する対価として収受しているものであり、この趣旨からいえば大人・小児を区分する必要はないとも考えられますが、グリーン料金・寝台料金ほどの必要性もないと思われますので、一般的な大人・小児の常識的な区分にしたがっています。

　また、初乗り運賃区間の乗車券で入場券代用として意図的に使用されうることを考えれば、対応上小児用の入場料金も必要でしょう。

Q 284　多人数で一度に入場する場合、入場券を出札補充券や改札補充券で一葉発行できないか？

A　出補、改補の発行対象券種としていませんので、発行できません。

Q 285　回数入場券はないのか？　なぜか？

A　定期入場券の制度は設けていますが、回数券的なものは設けていません。そういう需要に乏しいということが主たる理由です。

Q 286　（1）スキー、サーフボード、身体障害者補助犬、盲導犬は車内に持ち込めるか？
　　　（2）これらは無料か有料か？
　　　（3）その根拠条文は？
　　　（4）無料だとすれば、有料として増収に役立でるべきではないか？

A（1）いずれも若干の持込条件は付していますが、持込みできます。
（2）無料です。
（3）旅客規則第308条、旅客基程第400条
（注）このほか、旅基第400条では、運動用具、娯楽用具又は楽器類で長さが制限を超えるときでも、専用の袋、ケースに収納したもので、かつ、立てて車両において携帯できる程度までのもの、車イス（電動式は4輪に限る）で、その長さ及び高さが120cm、幅が70cm程度のものについても無料と規定しています。
（4）身体障害者補助犬や盲導犬は別にして、スキーやサーフボードは、この無料持込みのほうが鉄道利用を促進する上で適切と考えたからです。

Q 287　猫をつれて毎日通勤している。猫にも通勤定期乗車券のようなもの（定期手回り品切符とか）を売ってくれるか？猿や蛇はどうか？

A（1）定期手回り品切符は、行商組合員等に対し、制限外物品を常時持ち込む場合に設定していましたが、現在は発売していません。
（2）猿は猫と同様ですが、蛇はそもそも車内への持込対象としていません。動物の車内持込みは、不特定多数が利用する鉄道においては、基本的には禁止していますが、一般的に容認されるであろう特定の小動物等に限って、例外的に有料で持ち込めることとしています。

〔旅客規則第309条第2項〕

Q 288　連絡運輸にかかわる有料手回り品料金は、それぞれの運輸機関ごとに収受すべきではないか？

A　手回り品制度は、全般的には、荷物運送の内容の一部又はその延長

とみられ、連絡運輸にかかわるものについては荷物運送契約と同様の運送契約とし、全区間を通じて1個の料金を収受することとしています。

〔連絡規則第 111 条〕

Q 289　一時預り期間は、なぜ 15 日以内でなければならないか？

A 収容スペース、事務手数を考慮したものです。

〔旅客規則第 322 条〕

Q 290　オレンジカードは発売を終了したが、まだ利用可能なのか？

A オレンジカードは全国の JR の駅の自動券売機、のりこし精算機でご利用が可能な JR6 社の共通の商品で、昭和 60 年（1985 年）3 月より発売を開始しました。その後、Suica を始めとする交通系 IC カードの普及により、オレンジカードの発売が年々減少したため、平成 25 年（2013 年）3 月にオレンジカードの発売が終了となりました。現在も 500・1000・3000 円券は全国の JR の駅の券売機等で引き続きご利用が可能です。

Q 291　オレンジカードは乗車券か？

A オレンジカードは、乗車券ではありません。前払式支払手段ということで商品券に類似しています。有効期限のない点も共通しています。

西九州新幹線「かもめ」は部分開業だが、博多と長崎間の時間を短縮した

第 11 章
単行規程

〔1〕企画乗車券関係

> **Q 292 割引きっぷの多客期利用制限について。**
> **（1）商品による制限設定の有無の基準、根拠は？**
> **（2）払いもどし等に関して何か特例はあるのか？**

A（1）割引きっぷ（特別企画乗車券）については、平成4年（1992年）12月から多客期の利用制限を実施しています。特急列車が最混雑となる時期について利用を制限したもので、原則として、割引きっぷのうち特急列車利用となるものを対象とし、乗車券だけの割引となっているものは、対象としていません。

（2）利用期間に制限のある割引きっぷについて、払いもどしの特例はありませんが、回数券タイプについては、制限期間に相当する分の有効期間を延長して発売します。

> **Q 293 割引乗車券は、区間限定が原則で、特定の区間を利用する旅客のみが恩恵を受ける差別運賃といわざるを得ない。公共的輸送機関としてのJRがとるべき方策ではないのではないか？**

A 割引乗車券は、競合運輸機関との関係等を考慮し、閑散期・閑散列車の利用促進や鉄道利用による旅行需要の誘発など増収の観点から設定しているものであり、輸送機関としては当然の方策だと思います。
　また、発売条件に合致すればどなたにも発売しますから差別的運賃

とも考えていません。

> **Q 294** 割引乗車券について、係員さえも満足な案内ができないことがある。種類が多すぎるか、計画から発売までの時間がなくて係員に周知できていないのではないか。何か改善策はないのか？

A 設定したものを係員に周知させるのは当然のことであると考えています。しかしながら、他の運輸機関との競争やお客さまのニーズにあわせて割引乗車券の種類が多様化していることも現実です。係員をはじめお客さまに対する周知方については継続した取組みが必要だと考えています。

　なお、ＪＲ東日本では、平成 13 年（2001 年）12 月に利用実績が少ないもの、当初の設定目的が失われてしまったもの、類似する複数の商品が存在するもの等について、廃止、名称・効力の統一、利用制限期間の見直しなど、わかりやすい商品体系を目指して、かなり大掛かりなリニューアルを行いました。同様に、現在も適時、商品のリニューアルが行われています。

　また、近年ではＩＴ化の進展にあわせてネット予約型の商品なども設定されています。

> **Q 295** 企画乗車券をはじめ、ＪＲの「通達」は一般には公開されていないが、旅客に直接かかわる事項や改正内容等が周知されにくいのは問題ではないか？

A ＪＲでは、約款である旅客営業規則やその他の営業に関する諸規則は、対外的規程として駅に備え付けています。

　企画乗車券については、旅客規則第 22 条の 2 の「特別の運送条件

を定めて……発売することがある」という根拠規定に基づき、内容は通達で定めています。

　これらの乗車券については、時刻表やパンフレットなどで内容の周知を図っていますし、一般の規則と同様、窓口の係員等も案内することになります。

　また、ＪＲ各社のホームページ（ウェブサイト）でも企画商品の発売条件・利用方法などを案内しています。

> **Q 296　企画乗車券で乗車変更の取扱いはしないと券面で案内しておいて、通達のなかでは車内で指定券変更をするというものがあるが、旅客にも不親切だし、係員の誤扱いのもとではないか？**

A　車内での指定券変更は、緊急避難的な便宜扱いと考えており、設定趣旨からもこの種の表現とならざるを得ません。

> **Q 297　ジャパンレールパスは安すぎるのではないか？**

A　ジャパンレールパスは、JR6社グループが共同で提供する訪日客専用のおトクで便利な商品です。ＪＲ発足以降、新幹線の延伸による周遊可能エリアの拡大、専用サイトでの発売・指定席予約の導入、自動改札機の利用等のサービスアップを実現してきましたが、消費税増税分を除いて価格転嫁してないこともあり、その結果、利用実態は商品価格を大きく上回り、大幅な割引となっていたことから、令和5年（2023年）10月より、商品内容を充実させることとあわせて価格改定されました。

　また、「JRP」本券のみでは、引き続き「のぞみ」「みずほ」号は利用できませんが、「JRP」所持の旅客が、パス引換後且つ乗車前に専

用のきっぷを購入することで、「のぞみ」・「みずほ」号を利用可能になったことも大きな変化として挙げられます。

> **Q 298 大人の休日倶楽部パス等の記名式乗車券を紛失時に再発行しないのはなぜか？**

A 任意による未使用払いもどしについて、記名人のみに限定するのが難しく、結果として紛失再発行も難しいからです。

> **Q 299 高齢者向けの優遇措置である「ジパング倶楽部」の割引に対する季節制約について、片道乗車券だけでもこれを廃止し、かつ、片道 101 キロ以上を割引の対象とする考えはないか？**

A 年末年始、お盆期間、ゴールデンウィークなどの最繁忙期には、特別企画乗車券では利用できない期間（「利用制限期間」）が設けられています。これは、特急列車が最混雑となる時期について特別企画乗車券等の割引乗車券による利用を制限したもので（Q292）、最混雑期間中は運賃・料金の割引による利用拡大が図れるような状況ではないので、運賃・料金とも割引は行わないという考えによるものです。

ジパング倶楽部の割引はＪＲ線を片道・往復・連続で 201 キロ以上乗車する場合に適用されますが、多くの場合、特急利用となることからも運賃だけに割引を適用するのは難しいと考えます。

また、割引の適用条件を片道 101 キロ以上とすべきではということについても、これまでのさまざまな要望や検討から、旅行行程全体の乗車距離を割引の適用条件とした方が、利用しやすく割引メリットも大きいとの考え方から現在のルールとしています。

Q 300 青春18きっぷでは原則として第三セクター鉄道線には乗車できないが、青い森鉄道線の八戸〜青森間を乗車できるのはなぜか？
青い森鉄道線の青森〜三沢間に乗車する場合は、青森〜三沢間運賃を収受するのか？ あるいは、野辺地〜三沢間の運賃を収受するのか？

A 青春18きっぷは、旅客鉄道会社線（ＪＲ線）及びＪＲ西日本宮島フェリーを利用できますが、会社線（ＪＲから経営移管となった第三セクター鉄道線を含む。）を利用する場合には、当該会社線区間の運賃が別途必要です。ただし、青い森鉄道の青森〜八戸間（下車可能駅は青森、野辺地、八戸）、ＩＲいしかわ鉄道の倶利伽羅〜津幡間（下車可能駅は津幡）、あいの風とやま鉄道の富山〜倶利伽羅間（下車可能駅は富山、高岡）、ハピラインふくいの越前花堂〜敦賀間（下車可能駅は越前花堂、敦賀）を途中駅で下車することなく普通列車に乗車して通過利用する場合に限って特例として乗車することができます。これは、当該区間を経由しないとその先のＪＲ線を乗車できないためです。当該区間の指定された駅以外に下車した場合には、乗車区間の会社線運賃が必要になります。したがって、青森〜三沢間を乗車する場合には、青森〜三沢間の運賃が別途必要になります。なお、大湊線方面から野辺地を経由して乗車したという申告があった場合には野辺地〜三沢間の運賃を収受することになります。

> **Q 301** 青春18きっぷで本州と北海道とにまたがって利用する場合の利用方法は？
> また、青春18きっぷで例外的に特急列車の自由席に乗車できる区間とその理由は？

A 平成28年（2016年）3月26日の北海道新幹線（新青森〜新函館北斗間）の開業に伴い、江差線の木古内〜五稜郭間が「道南いさりび鉄道」に経営移管されたことから、「青春18きっぷ」でご利用できるＪＲ線の区間が変更となりました。また、本州と北海道との間がＪＲ在来線では往来できなくなるため、北海道新幹線の一部区間にも乗車できる「青春18きっぷ北海道新幹線オプション券」を設定することとし、新幹線開業に伴いこれまで普通列車の設定がない蟹田〜木古内間に設けていた「青春18きっぷ」のみで特急列車へ乗車できる特例は終了となりました。

また、次の区間については、青春18きっぷを利用して、例外的に特急列車の自由席及び普通車指定席の空席に乗車できる区間としています。これは、普通列車が無い区間であるか、一般の制度として普通乗車券だけで特急・急行列車に乗車を取り扱う区間で、青春18きっぷも同様に便宜を図っているものです。

- 奥羽本線　　　青森〜新青森間　　　普通車自由席
- 石勝線　　　　新得〜新夕張間　　　普通車指定席の空席
- 室蘭線　　　　東室蘭〜室蘭間　　　普通車指定席の空席
- 佐世保線　　　早岐〜佐世保間　　　普通車自由席
- 宮崎空港線　　宮崎空港〜宮崎間　　普通車自由席

> **Q 302　レール＆レンタカーきっぷは年に３回（4/27〜5/6、8/10〜19、12/28〜1/6）割引が非適用になる期間（利用制限期間）があるが、同期間と期間外をまたがって旅行する場合の割引はどうなるのか？**

A　ＪＲ線の利用日が利用制限期間の場合にはＪＲの運賃・料金は割引になりません。往路、復路が利用制限期間にかかる場合の取扱いは下表のとおりです。

○利用制限期間に関わる割引の適用

	割引の適用				
	運賃		料金		
	往路 （1行程）	復路 （2行程）	往路 （1行程）	復路 （2行程）	
往路通常日、復路制限日 （片道201㌔以上の区間）	通常日 ○	制限日 ×	通常日 ○	制限日 ×	往路、復路を各々片道で発売し、往路のみ割引適用
往路通常日、復路制限日 （片道201㌔未満の区間）	通常日 ×	制限日 ×	通常日 ×	制限日 ×	往復の場合に発売条件を満たすが復路制限日のため非適用
往路制限日、復路通常日 （片道201㌔以上の区間）	制限日 ×	通常日 ×	制限日 ×	通常日 ×	往路割引非適用のため復路が通常日でも非適用
往路制限日、復路通常日 （片道201㌔未満の区間）	制限日 ×	通常日 ×	制限日 ×	通常日 ×	往復の場合に発売条件を満たすが往路制限日のため非適用
往路・復路とも制限日	制限日 ×		制限日 ×		往路、復路とも制限日

（注１）○は割引適用、×は割引非適用
（注２）往路（１行程）または復路（２行程）が通常日から制限日にまたがる場合は割引が適用されます。逆に往路（１行程）または復路（２行程）が制限日から通常日にまたがる場合には割引は非適用です。
（注３）利用制限期間中であっても、駅レンタカー券に無割引のＪＲ券を組み合わせて「レール＆レンタカーきっぷ」として発売することができます。

Q 303 レール＆レンタカーきっぷで、以下のような区間を乗車する場合の発売について。

(1) 八代から肥薩線で霧島神宮へ。霧島神宮でレンタカーを使用し、霧島神宮から日豊本線・指宿枕崎線で指宿に行く。この場合、かつての一般周遊券のように、八代－指宿間と、隼人－霧島神宮の往復乗車券という形態での発券が可能か？

(2) 福島から奥羽本線で山形へ。山形でレンタカーを利用し、山形から奥羽本線で湯沢へ行く。この場合、山形でいったん乗車券を切らずに、福島～湯沢間を通し乗車券で発券できるか？

(3) 名古屋から関西本線・伊勢鉄道・紀勢本線で新宮まで行き、新宮でレンタカーを利用する。この場合、レール＆レンタカーきっぷでも、通過連絡運輸が適用されるか？

A 各行程での取扱いは次のとおりです。

(1) 「レール＆レンタカーきっぷ」は片道・往復・連続で201キロ以上ご利用の場合で、かつレンタカー営業所が1行程目の発駅から最短経路で101キロ以上離れている必要があります。この行程での発売は、【第1行程】八代～霧島神宮（営業キロ139.5キロ）＋【第2行程】霧島神宮～指宿（営業キロ92.1キロ）＝合計231.6キロの連続乗車券となり、第1行程・第2行程とも割引が適用となります。

(2) この行程では、「レール＆レンタカーきっぷ」の発売条件を満たしていませんので割引にはなりません。「レール＆レンタカーきっぷ」は片道・往復・連続で201キロ以上ご利用の場合で、かつレンタカー営業所が1行程目の発駅から最短経路で101キロ以上離れている必

要があります。福島〜山形間の営業キロは 87.1 キロです。
　ちなみに、レンタカーの利用が「山形」でなく、「新庄」(福島から営業キロ 148.6 キロ) の場合には「レール＆レンタカーきっぷ」の条件を満たしますので、「福島〜湯沢」(営業キロ 210.4 キロ) は割引を適用した通しの片道乗車券 (新庄は途中下車) になります。
（3）　この行程のように、「レール＆レンタカーきっぷ」で伊勢鉄道を経由する場合は、前後のＪＲ線の営業キロを通算して計算します。なお、伊勢鉄道は所定の運賃・料金となります。京都丹後鉄道、智頭急行など指定された会社線を経由する場合にも、普通乗車券の通過連絡運輸範囲内で発売条件を満たしていれば、同様の取扱いが可能です。

〔2〕身障者割引

> **Q 304** 身体障害者福祉法に基づく身体障害者障害程度等級表（身体障害者福祉法施行規則別表）の「障害程度」と、身障者割引規則の「第1種・第2種身体障害者」との関係は？

A 身障者規則では、身体障害者とは、身体障害者福祉法による身体障害者手帳の交付を受けている者のうち、別表に掲げる障害種別に該当するものをいい、障害の程度によって第1種障害者と第2種障害者に分けています。この障害種別及び等級は、身体障害者福祉法施行規則別表の区分と同様としています。　〔身障者規則第2条〕

> **Q 305** 第1種身体障害者が介護者をつけないで旅行するとき、ＪＲの割引は受けられるのか？

A 第1種身体障害者が単独で乗車する場合でも割引の取扱いをしますが、片道の営業キロが100キロを超える区間の乗車券に限ります。

〔身障者規則第4条・第5条〕

> **Q 306** 身障者割引規則第3条第2項では、介護者は介護能力の有無のみで、とくに年齢制限はないが、
> 　（1）幼稚園児でも介護者といえるのか。この場合、幼児にも乗車券が必要か？
> 　（2）航空機のように「満12歳以上」とはっきり明記すべきではないか？

A(1) 幼稚園児であっても介護能力があれば介護者となれます。
ただし、介護付きの身障者割引を適用するときは、幼児であっても割引乗車券を購入しなければ障害者の方の割引も受けられません。
〔身障者規則第3条第2項〕
(2) 輸送サービス内容が、鉄道と航空機とではかなり異なっており、同様にしなければならないとも思えませんし、現行の規定運用でとくに支障があるとも聞いていません。

> **Q 307** 乳幼児又は幼児が第1種身体障害者で、親と一緒に旅行する場合に収受する普通旅客運賃は？

A 乳児又は幼児は無賃（身障者割引による普通乗車券を所持しているものとみなす）とし、親（介護者）の運賃を5割引します。

> **Q 308** 目の不自由な方が盲導犬と一緒に乗車する場合、盲導犬は介護者にあたるか？　あたるとしたら盲導犬の旅客運賃・料金はいくらか？

A(1) 介護者は人であって、盲導犬は介護者にはあたりません。
(2) 道路交通法にいう政令で定められた盲導犬（ハーネスをつけ、お客さまが盲導犬使用者証を所持している場合に限る）は、無料手回り品として取り扱います。身体障害者補助犬法に規定する認定を受けた身体障害者補助犬（規定された表示を行い、お客さまが認定証を所持する場合に限る）も同様です。
〔旅客規則第308条第3項〕

Q 309 身体障害者割引の普通回数乗車券は、介護者と同行しないと使用できないか？

A 使用できません。介護付きで発売するものであり、常に介護者と同行することを条件としています。

〔身障者規則第4条第1項第3号・第9条〕

Q 310 身体障害者が高校生の場合の定期旅客運賃は、大学生用から割り引くのか、高校生用からか？

A 大学生用（無割引）の通学定期旅客運賃から割り引いて計算します。
（注）高校生に対する通学定期旅客運賃は1割引する〔旅規第103条〕こととしていますので、さらに身体障害者割引を適用すると重複割引となります。

Q 311 身障者規則・知的障害者規則には「小児定期乗車券に対しては、旅客運賃の割引をしない」と定められているが、小学生の身体障害者・知的障害者に対して発売する通学定期乗車券に適用する運賃は？

A 小児定期乗車券に対しては旅客運賃の割引をしないため、小学生用の割引（義務課程割引：大人通学定期旅客運賃の半額の3割引）も身体障害者割引（5割引）・知的障害者割引（5割引）も適用せず、「小児通学定期旅客運賃（大人通学定期旅客運賃すなわち大学生の半額）」を適用して発売することになります。

〔身障者規則第7条・知的障害者規則第6条〕

身体障害者・知的障害者が指定学校に通学する場合に発売する身体障害者割引・知的障害者割引定期旅客運賃は次のとおりです。

区分	本人			介護者（大人の場合）	
	身体・知的割引	学生割引	定期券の運賃	身体・知的割引	定期券の運賃
大学生	適用	—	大学生の5割引	適用	大人通勤の5割引
高校生	適用	非適用	大学生の5割引	適用	大人通勤の5割引
中学生	適用	非適用	大学生の5割引	適用	大人通勤の5割引
小学生	非適用	非適用	小児通学（大学生の半額）	適用	大人通勤の5割引

Q312　身体障害者・知的障害者割引（5割引）の取扱いは窓口だけか？

A　割引の乗車券類は、駅員無配置駅から乗車する場合を除き、旅行開始前に限っての事前購入が原則です。この考え方は、身体障害者割引や知的障害者割引の場合も同様です。
〔身障者規則第12条、知障者規則第11条〕
駅員無配置駅からの乗車の場合は、車内で割引の取扱いを行います。
〔旅規第15条・第19条第2項〕
また、乗車券の発売区間に制限のある駅（自動券売機だけの駅など）から乗車する場合も、車内又は前途の駅で、割引の取扱いを行います。
〔旅規第27条、旅基第44条〕
なお、平成5年（1993年）10月から、大人の第1種の身体障害者又は知的障害者が介護者とともに普通片道乗車券で旅行する場合は、自動券売機で発売する小児の普通片道乗車券で代用利用ができることとしています。

Q 313　身体障害者や知的障害者がICカード乗車券を利用する場合は割引が受けられるか？

A　ICカード乗車券を利用する場合の旅客運賃の割引の適用方については、各社の定めによるところとなります。首都圏エリアでは、平成２６年（2014年）４月のIC運賃の導入時から、ICカード乗車券を利用する場合には、降車時に改札口で障害者手帳の提示により割引のIC運賃で精算する取扱いを行っていました。

その後、令和５年（2023年）の３月から、身体障害者割引や知的障害者割引が適用となる第１種身体障害者及びその介護者、又は第１種知的障害者及びその介護者向けの専用の障がい者用ICカードの取扱いを開始しました。ICカード乗車券を発売時に、障害者手帳等による適用条件の確認を行うことで、都度の乗車の際は、割引を適用したIC運賃で乗車することが可能となりました。

ご利用方法などの運送条件については、JR東日本の場合は「障がい者用ICカード乗車券取扱規約」という別な運送約款（特約）を定めています。

なお、介護者用のICカード乗車券は、乗車ごとにどなたでも介護者としてご乗車できる「介護者用の記名式ICカード乗車券」となっています。

Q 314　精神障害者についてはＪＲの割引は受けられるのか？

A　JRグループでは、令和７年（2025年）４月から精神障害者保健福祉手帳の交付のある第１種精神障害者及び第２種精神障害者に対して、精神障害者割引制度を導入することとなりました。

〔3〕後払い

> **Q 315** 戦傷病者が指定席特急券を引き換える場合、当該区間が特定特急料金の適用区間に相当するときに収受する差額は、「指定席－自由席」か、「指定席－特定」か？

A 所定額と無料で引き換えできる額との差額を収受します。すなわち「指定席－特定」です。

〔戦傷病者規則第 5 条第 2 項〕

　ただし、東海道・山陽新幹線の「のぞみ」の指定席を利用する場合は、「のぞみ」の特定特急料金（「ひかり」、「こだま」の自由席特急料金と同額）と「のぞみ差額」（「のぞみ」の指定席特急料金と「ひかり・こだま」の指定席特急料金との差額）を加算した額を「のぞみ」の指定席特急料金から差し引いた額を収受します。すなわち、通常期 530 円、最繁忙期 930 円、繁忙期 730 円、閑散期 330 円を収受します。

　また、東北新幹線の「はやぶさ」の指定席を利用する場合も、基本的な考え方は「のぞみ」と同じです。「はやぶさ」に自由席が無いので規定の表現がやや複雑ですが、「通常期の「はやぶさ」指定席特急料金から 530 円を低減した額」と指定席特急料金との差額を収受します。なお、特定特急料金が適用される区間では、当該特定特急料金と「はやぶさ差額」（当該区間に対する「はやぶさ」の通常期指定席特急料金から「はやて・やまびこ」の通常期指定席特急料金を差し引いた額とを合計した額）と指定席特急料金との差額を収受します。

> **Q 316** 戦傷病者規則に定める順路の考え方は？
> 　　（例）東京都区内〜福島間（青森経由）の申し出があった場合。

A 戦傷病者特別援護法施行令第11条第2項により、経路は、「最も経済的な通常の経路」とされています。

　したがって、必ずしも最短区間とはいえず、時間価値、運賃の総額等を総合的に勘案して妥当な経路であればよいといえます。

　例示の場合、青森経由では明らかに順路とはいえず、例えば都区内～青森、青森～福島の2区間（引換証2枚）とする必要があります。（下車駅又は最遠地の青森で区切ります。福島駅ではありません。）

(注) 平成9年（1997年）12月から、JR線の中間に連絡会社線が介在する場合で、その連絡会社線へ直通列車が運転されているときは、1枚の引換証で2枚のJR乗車券類と引換えができることとしました。

Q 317 （1）公職選挙の際発行する特殊乗車券の性格は、普通乗車券か定期乗車券か？
（2）この乗車券で急行に乗車することは可能か？

A （1）公職選挙立候補者用乗車券取扱基程第2条では、「特殊乗車券」とし、「使用する乗車券は、補充通勤定期乗車券大人用」としていますが、その性格は「普通乗車券」です。発行及び取扱いの便宜上、補充通勤定期乗車券の様式を使用しているにすぎません。

（2）衆議院小選挙区選出議員、参議院選挙区選出議員及び都道府県知事の選挙用のものは、普通乗車券ですので、急行券のみ購入していただければ、急行列車に乗車できます。

　参議院比例代表選出議員の選挙用の特殊乗車券については、普通列車用としているため、急行列車に乗車することはできません。急行列車に乗車する場合は、急行列車の乗車区間の乗車券と急行券を特急列車等乗車用引換証により引き換えます。

〔4〕ＩＣ乗車券

> **Q 318**　ＪＲ東日本の Suica について。
> （１）概要は？
> （２）Suica は、乗車券か？
> （３）Suica で鉄道に乗車する場合の契約の成立時期は？
> （４）運行不能時の取扱いは？

A（１）Suica は非接触型ＩＣカードであり、自動改札機にタッチするだけで、乗車券として使用できます。Suica には、Suica 定期券、MySuica（記名式）、Suica カードの３種類があり、Suica 定期券と MySuica（記名式）には、小児運賃を自動精算できる「こども用」もあります。

・Suica 定期券　定期券として使用できるほか、定期券区間外を乗車する場合も、自動改札機で入出場することにより、チャージ残額から乗車区間の運賃を自動精算します。紛失した場合は、再発行手数料とデポジットを収受し、チャージ残額を引き継いで再発行します。

・MySuica（記名式）　自動改札機で入出場することにより、チャージ残額から乗車区間の運賃を自動精算します。紛失した場合は、再発行手数料とデポジットを収受し、チャージ残額を引き継いで再発行します。

・Suica カード　自動改札機で入出場することにより、チャージ残額から乗車区間の運賃を自動精算します。

　なお、従前は、自動改札入場時に初乗り運賃相当額を収受していましたが、平成19年（2007年）３月の関東民鉄との相互利用開始以降は、出場駅で全額を精算しています

（２）　Suica には、あらかじめチャージ（入金）しておくことができ、チャージは、鉄道の運賃として自動改札機による自動精算に使用でき

るほか、自動券売機での乗車券類の購入、乗越し精算機での精算金として使用することもできます。

　自動改札機により入場し、チャージが鉄道の乗車のために使用される場合は、乗車券として扱います。駅売店等での物品の購入に使用される場合は、電子マネーとして扱います。

（3）Suicaで鉄道に乗車する場合の個別の運送契約の成立時期は、自動改札機による改札を受けた時です。自動改札機による改札を受け、乗車券としての要件を備えた時点で、「入場駅から出場駅までの区間について、あらかじめ定められた条件の下での運送に対し、出場時に運賃を精算する」という内容の運送契約が成立し、直ちに契約の履行が開始され、お客さまの一方的意思によりその終結点が確定され、運賃相当額をチャージ残額から減ずることにより契約が完結することとなります。

（4）Suicaで入場後、列車が運行不能となった場合は、次により取り扱います。チャージにより乗車している場合は、他の会社線による振替乗車の取扱いはしません。

　　① 発駅までの無賃送還……乗車駅まで無賃送還します。
　　② 途中駅までの無賃送還又は当該駅での旅行中止……乗車駅〜途中駅までの運賃を収受します。
　　③ 不通区間の別途旅行……乗車駅〜途中駅までの運賃を収受します。

（注）実際乗車区間の運賃を収受する②及び③の取扱方は、鉄道運輸規程の定めに沿ったものであり、既存の一般の乗車券にかかわる制度は、省令の定めを上回るお客さまに有利な取扱いになっているといえます。

Q319　ＩＣカード相互利用サービスとは？

A 　首都圏エリアでは、平成19年（2007年）3月からＪＲ東日本のSuicaと関東民鉄のPASMOとの相互利用を開始し、現在では首都圏の鉄道におけるＩＣカード利用率は9割を超えています。相互利用を行っている社局間では、SuicaまたはPASMOのチャージ残額により相互の線内相互や相直区間では会社線を跨って乗車することができます。

　Suicaで他の会社線に乗車する場合は、当該会社線の自動改札機を入出場することにより、チャージ残額から乗車区間の会社線の運賃を自動精算します。連絡運輸範囲内については、Suica連絡定期乗車券を発売しています。また、一部のバス会社でも利用できます。

　Suicaで他の会社線を利用する場合の運送契約は、利用者と当該会社との間で当該会社の運送約款に従って締結されることとなります。

　その後、全国の大都市圏で順次ＩＣカードシステムの導入が進み、相互に利用できるようにしようという機運が高まり、各地域内やＪＲ各社間での相互利用が順次拡大してきました。そして、平成25年（2013年）3月23日から「全国相互利用サービス」が開始され、「Kitaca」、「PASMO」、「Suica」、「manaca」、「TOICA」、「PiTaPa」、「ICOCA」、「はやかけん」、「nimoca」、「SUGOCA」の10（11事業者）の交通系ＩＣカード（「10（テン）カード」と呼ばれています。）が相互に利用できるようになりました。

　また、仙台エリア内における「Suica」と「icsca」の相互利用や広島の「PASPY」エリアにおける「ICOCA」の利用など、エリアやカードを限定した相互または片利用が各地に順次拡大しています。

　令和3年（2021年）3月からは、JR東日本では地域のモビリティサービス（バス、LRT等）と相互利用可能な地域連携カードによるサービスを開始しています。

> **Q 320** ＪＲ線と会社線をまたがって乗車する場合に、同じ区間であっても、磁気式の普通乗車券を購入して乗車する場合と Suica を利用して乗車する場合とで運賃が異なることがあるが、なぜそのようなことが起きるのか？

A 全区間を１枚の磁気式の普通乗車券として発売する取扱いは、連絡運輸規則に基づく取扱いです。連絡運輸により、ＪＲ線の中間に連絡会社線が介在する場合は、前後のＪＲ線の営業キロを通算してＪＲ線の運賃を算出します。

一方、ＩＣカード相互利用は、連絡運輸規則に基づく取扱いではありません。また、あらかじめお客さまの全区間の行程を特定することができないため、お客さまには、自動改札機を入出場する都度、当該会社線の運賃を当該会社の運送約款に従ってお支払いいただきます。

このため、磁気式の普通乗車券の場合と Suica の場合とで、運賃が異なるケースが発生するものです。

(注) JR 東日本では、平成 26 年（2014 年）4 月の消費税改正に伴う運賃改定で、きっぷの 10 円単位運賃とＩＣの 1 円単位運賃という違いも生じました。

> **Q 321** ＪＲ東日本の「グリーン車 Suica システム」とは、どういうものか？

A このシステムはＪＲ東日本ＩＣカードシステムの一部に位置するものなので、基本的な事項については「東日本旅客鉄道株式会社ＩＣカード乗車券取扱規則」によりますが、グリーン券に関する要点を抜すいすると、次のとおりです。

（１）契約の成立時期

　Suica グリーン券の個別の運送契約の成立時期は、Suica グリーン券を購入した時です。

（２）制限事項

①　Suica グリーン券は、Suica カード、Suica 定期券、MySuica 又は PASMO のチャージ残額と引き換える場合に限り購入でき、現金による購入はできません。

②　購入した Suica グリーン券を使用する前に次の Suica グリーン券を購入すると、最初に購入した Suica グリーン券情報はなくなります。

　また、購入できる Suica グリーン券は、１人分に限ります。

（３）発売

　Suica グリーン券は、Suica マークのある券売機により、Suica カード、Suica 定期券、MySuica 又は PASMO に、有効区間、発売日、発売額電子的に記録することにより、当日有効のものに限り発売されます。

　発売額は、旅客基程第 131 条の４第３号に定める乗車前購入時に適用する平日料金又はホリデー料金です。（Q 142 参照）

（注）「モバイル Suica」（Suica 機能と携帯電話機とを一体化したもの）の電話機からも購入（情報記録）ができます。

（注）令和６年（2024 年）３月の首都圏の普通列車グリーン料金の見直しにより、Suica を利用した時に適用する「Suica グリーン料金」が設定され、購入時期の区分による「事前料金」「車内料金」や、ご利用日別の「平日料金」「ホリデー料金」の区分は無くなりました。

（４）使用方

①　グリーン車に乗車する場合は、グリーン券情報の記録された Suica 等を、利用する座席の上方に設置された車内改札機（グリーン券情報読取り部）にタッチし改札を受けます。

（注）グリーン券情報読取り部にタッチすると空席表示の赤ランプが着席の

緑ランプに変わり、これに伴い車内改札も省略されます。
② 乗継乗車（Q143 参照）をする場合は、先乗列車下車の際と後乗列車に乗車する際に、Suica 等をグリーン券情報読取り部にタッチして改札を受けます。

（5）効力

Suica グリーン券により乗車する場合は、旅客規則第 175 条（特別車両券の効力）の規定を準用し、記録された有効区間、乗車日に基づいて乗車できます。

（6）取扱区間

Suica グリーン券の取扱区間は、東京付近の Suica 取扱区間のうち、普通列車グリーン車の設備路線内に限ります。

Q 322　ＪＲ東日本の「オフピーク定期券」とは、どういうものか？

A オフピーク定期券は、平日朝のピーク時間帯以外に定期券として利用が可能で、通常の通勤定期券より割安な価格の Suica 定期券として令和 5 年（2023 年）3 月より導入されました。

Suica 専用の定期券ということで、磁気定期券と異なる部分は「東日本旅客鉄道株式会社ＩＣカード乗車券取扱規則」に定められています。IC 規則に定められている主な部分は以下の通りです。なお、正式名称は「Suica 時差通勤定期券」ですが、ここではオフピーク定期券とします。

（1）発売範囲（IC 規則第 26 条の 2）

以下の条件を満たす場合にオフピーク定期券は発売可能です。

- JR 東日本線の区間が東京の電車特定区間内のみのご利用であること
- JR 他社にまたがらないこと
- 連絡運輸となるオフピーク定期券については連絡規則に定める鉄

道会社線着となるものであって、JR東日本線の区間が東京の電
　　車特定区間内のみのご利用となること
（２）運賃（IC規則第37条の２）
　オフピーク通勤定運賃は、磁気式で発売しないことから、旅客営業規則には記載されておらず、ICカード規則にのみに定めています。対外的には10％割引、令和6年（2024年）10月より15％割引と周知されていますが、運賃については割引ではなく、通勤定期運賃の上限の範囲内の運賃として設定されています。
（３）効力（IC規則第41条の２）
　オフピーク定期券は、ピーク時間帯設定駅においてピーク時間帯に入場した場合を除き、通常の定期券乗車券として使用可能です。しかし、定期券券面区間に係らず、ピーク時間帯に入場した場合は定期券ではなく、Suica乗車券として使用することとなり、別途乗車区間に対するIC運賃が必要となります。
（４）その他（IC規則第24条）
　自動改札の入場時間を正確に判定することが難しくなるため、オフピーク定期券設定エリア内から他の乗車券で入場する場合については、オフピーク定期券と他の乗車券の併用はできません。

「DENCHA」の愛称があるJR九州のハイブリッド車両

あとがき

「…明治は遠く　なりにけり」とは昭和初期の俳人が詠んだ句の一節ですが、その昭和も遠くなりにけりで、鉄道草創期の明治から昭和まで既に歴史の世界の事のようになっています。JRが発足してからも平成、令和と時代が変わり、鉄道を取り巻く状況も大きく様変わりしています。しかしながら、現在の旅客営業制度も長い歴史の変遷の結果として今に続いています。今回は、本編のQ&Aでは現実の疑問点にお答えしながら、コラムでは歴史的経緯の一端にも触れてみました。

　私もJRの制度改正について情報を知り得る立場におりますが、さすがに現役を離れて久しく公開される範囲での情報になりますので、今回の改訂版では現役諸氏の多大な支援をいただきました。

　Q＆Aの生みの親であり、私の師匠でもあった佐々木健さんも昨年6月にお亡くなりになり、恩師に残していただいた貴重な遺産を引き継ぎたいという思いから、7年振りの改訂版に取組みました。読者の皆さまのお役に立てると幸いです。

　本書の発刊にあたり、自由国民社の宮下啓司編集長と支援をいただいた皆さまには大変お世話になりました。心より感謝を申し上げます。

2024年7月

小布施　由武

著者略歴

　昭和54年（1979年）4月に日本国有鉄道（国鉄）入社。国鉄から東日本旅客鉄道㈱を通じて鉄道営業部門の業務に従事。昭和61年（1986年）に国鉄本社旅客局総務課に異動し、営業制度担当として国鉄の分割・民営化に伴う会社間のルール作りに携わり、JR発足後は東日本旅客鉄道㈱本社営業部において運賃・営業制度を長く担当。水戸支社営業部長、本社お客さまサービス部次長、千葉支社営業部長を経て、平成22年（2010年）11月から平成27年（2015年）6月まで本社営業部担当部長として、平成26年（2014）4月の消費税率改定に伴う運賃改定でのIC（1円単位）運賃の導入や平成27年（2015年）3月の北陸新幹線金沢開業に関わる特急料金等の設定を担当。平成27年（2015年）6月にJR東日本メカトロニクス㈱に転じ常務取締役営業本部長、令和5年（2023年）6月から同社常勤監査役として現在に至る。

カバー・本文写真　井上廣和
装丁・DTP　株式会社エディング

ＪＲ旅客営業制度のＱ＆Ａ

発行日	2015年3月27日　初版第1刷発行	
	2017年5月2日　第2版第1刷発行	
	2024年8月19日　第3版第1刷発行	
著　者	小布施由武	
発行者	石井　悟	
編集人	宮下啓司	
発行所	株式会社自由国民社	
	〒171-0033 東京都豊島区高田3-10-11	
	電話　営業部03-6233-0781　編集部03-6233-0787	
	ウェブサイト https://www.jiyu.co.jp/	
印刷所	横山印刷株式会社	
製本所	新風製本株式会社	

定価はカバーに表示してあります。落丁・乱丁本は、お取替えいたします。
本文・写真などの無断転載・複製（コピー）・翻訳を禁じます。
Ⓒ Yoshitake Obuse 2024 Printed in Japan